RECOGNITION OF DISEASES AND PESTS OF FARM CROPS

RECOGNITION OF DISEASES AND PESTS OF FARM CROPS

in colour

E. GRAM

P. BOVIEN

C. STAPEL

BLANDFORD PRESS, LONDON

in association with

The Danish Agricultural Information and Advisory Service Aids

First Published in 1956

2nd edition 1969

SBN 7137 0391 1

Pictures and text:

Ernst Gram, Superintendent for
Government Research on Plant Pathology

Prosper Bovien, D. Phil., Departmental Manager for
Government Research on Plant Pathology

Chr. Stapel, Departmental Manager for
Government Research on Plant Pathology

Watercolour painters:
Ingeborg Frederiksen
Ellen Olsen

Made and printed in Denmark
by F. E. Bording Limited,
Copenhagen

FORORD

Plantesygdomme og skadedyr ødelægger hvert år mere eller mindre af markens afgrøder og modvirker herved landmandens bestræbelser for at høste store og sikre afgrøder af god kvalitet. Angrebene kan være en stadig trusel, hvor afgrødevalg og sædskifte er ensidigt, som f. eks. angreb af havreål og fodsyge i kornrige sædskifter, eller angrebene kan dukke op med mange års mellemrum eller endog være noget helt nyt. Uanset dette kan følgerne af angreb være så alvorlige, at landmanden stadig må være på vagt for at værne afgrøderne, og den bedste forudsætning herfor er, at han kender de pågældende sygdomme og skadedyr. Et udvalg af disse vises på bogens 112 farvetavler med 720 figurer og tilhørende tekster.

Ernst Gram *Prosper Bovien* *Chr. Stapel*

FORORD TIL 2. UDGAVE

Efter at farvetavlebogen SYGDOMME OG SKADEDYR I LANDBRUGS-AFGRØDER i nogen tid har været udsolgt, har Landbrugets Informationskontor besluttet at lade værket genoptrykke i et mindre oplag.

I den her foreliggende 2. udgave er foretaget en enkelt ændring i billedmaterialet, idet Sadelgalmyggen, som har bredt sig stærkt i de senere år, er indføjet som tavle 19. For at undgå en udvidelse af bogen, er denne tilføjelse sket på bekostning af 3 farvefotos af havreål i førsteudgavens tavle 19.

2. udgave er optrykt med dansk, engelsk og svensk billedtekst.

København i nov. 1968
Landbrugets Informationskontor

PREFACE

Plant diseases and pests will always be, to a greater or less extent, one of the farmer's worst headaches, bringing, as they do material loss in their wake. Many of these attacks can be warded off provided the farmer is in a position to recognize the enemy within his gates and to supply the correct weapon for its destruction.

This book, which consists of 112 colour plates and 720 figures aims at enabling the farmer to become acquainted with most of the diseases and pests which occur in Danish agriculture.

By and large, however, the same diseases and pests appear in crops all over the north-western part of Europe; the publisher, The Danish Agricultural

Information and Advisory Aids Office, Copenhagen, therefore, was of the opinion that all countries within this region might benefit if this work were made available to them in their own languages. To this end a condensed text has been translated into English, Swedish, German, Dutch, and French.

The text deals solely with the subjects depicted in the colour plates, and all reference to biological conditions, control, etc., has been omitted. This apparent gap is, in fact, intentional, since control is subject to frequent change and in any event varies from country to country. In Denmark, a complementary book, dealing with control and other matters of interest to the farmer, has been published simultaneously, and this will be revised from time to time. The colour plates of this volume, however, will – it is expected – remain topical for a much longer period.

The authors extend their warmest thanks to *Mr. W. C. Moore*, *Mr. F. H. Jacob* and *Dr. F. Joan Moore* (Harpenden) for their helpful collaboration and advice about the English text.

Ernst Gram *Prosper Bovien* *Chr. Stapel*

FÖRORD

Sjukdomar och skadedjur uppträder alltid i större eller mindre omfattning på våra fältgrödor och förorsakar odlaren förluster. Många av dessa angrepp kan undgås genom åtgärder av ett eller annat slag, men förutsättningen härför är, att odlaren känner till sjukdomarna och skadedjuren och bekämpningsmedlen mot dem.

Föreliggande bok, som omfattar 112 färgplanscher med 720 figurer, avser att ge odlaren möjlighet att känna igen de flesta av de sjukdomar och skadedjur som uppträder på lantbruksväxterna i Danmark.

Då det i stort sett är samma sjukdomar och skadedjur som uppträder på lantbruksväxterna inom hela det nordvästeuropeiska jordbruksområdet, har utgivaren Landbrugets Informationskontor, København, ansett det vara av intresse att göra andra länder inom detta område delaktiga i utnyttjandet av denna bok, varför en översättning av den kortfattade texten har gjorts till svenska, engelska, tyska, holländska och franska.

Texten har endast anknytning till det som färgplanscherna vill åskådliggöra, under det att biologiska förhållanden, bekämpning o. dyl. avsiktligt underlåtits, framför allt därför att bekämpningsmetoderna mycket snabbt undergår förändringar men även därför att dessa växlar från land till land. I Danmark utges därför samtidigt en särskild skrift om bekämpningen m. m., som kan revideras med få års mellantid, medan färgplanscherna förutses förbli aktuella under en längre följd av år.

Svenska texten är översatt av Överassistenten *Bror Tunblad* vid Statens Växtskyddsanstalt i Stockholm, till vilken författarna härmed riktar ett hjärtligt tack för ett gott samarbete och för värdefulla råd beträffande texten.

Ernst Gram *Prosper Bovien* *Chr. Stapel*

INDHOLD CONTENTS INNEHÅLL

A Hvidaks på havre, fremkaldt af vækstforhold.
B Hvidaks på rug, fremkaldt af vækstforhold.
C Rød havreplante, årsagen ubekendt (sædvanligvis kraftige randplanter, sml. tavle 27 med angreb af havremider).
D Kvælstofmangel, rug (fra gødningsforsøg).
E Normal rug til sammenligning med D.

A-B Blasting, due to adverse growth conditions; in oats and rye respectively.
C Red oats, cause unknown (mostly found in vigorous marginal plants – compare plate 27, mites).
D Nitrogen Deficiency in rye (from fertilizer experiments).
E Normal rye for comparison with D.

A Vitax hos havre orsakat av otjänliga växtbetingelser.
B Vitax hos råg orsakat av otjänliga växtbetingelser.
C Rödfärgning av havreplanta, orsak obekant (vanligtvis starkvuxna kantplantor, jfr plansch 27, havrekvalstret).
D Kvävebrist, råg (från gödslingsförsök).
E Normal rågplanta för jämförelse med D.

A
B
C
D
E

2

A Byg fra stærkt sur jord.
B-D Fosforsyremangel, byg.
E-F Fosforsyremangel, hvede.

A Barley from very acid soil.
B-D Phosphate Deficiency, barley.
E-F Phosphate Deficiency, wheat.

A Korn från starkt sur jord.
B-D Fosfatbrist, korn.
E-F Fosfatbrist, vete.

Kaliummangel.

A Havre fra karforsøg, tiltagende symptomer.
B Havre fra markforsøg.
C Havre fra markforsøg, kort før høst.
D Rug fra markforsøg.
E Ung byg.
F Ældre byg.

Potassium Deficiency.

A Oats from pot experiments, range of symptoms.
B Oats from field experiment.
C Oats from field experiment, just before harvest.
D Rye from field experiments.
E Young barley.
F Older barley.

Kalibrist.

A Havre från kärlförsök, tilltagande symptom.
B Havre från fältförsök.
C Havre från fältförsök, kort före skörd.
D Råg från fältförsök.
E Ung kornplanta.
F Äldre kornplanta.

A
C
D
B
E
F

4

A Kalkkvælstofsvidning, byg.
B Magnesiummangel, byg på kaliumrig jord (sekundært angreb af *Rhynchosporium secalis*).
C Manganmangel, havre.
D-E Magnesiummangel, byg på kalkfattig jord.

A Cyanamide Scorch, barley.
B Magnesium Deficiency, barley on soil with high potassium content (secondary attack of *Rhynchosporium secalis).*
C Manganese Deficiency, oats.
D-E Magnesium Deficiency, barley on soil poor in lime.

A Kalkkväveskada, korn.
B Magnesiumbrist, korn på kalirik jord (sekundärt angrepp av *Rhynchosporium secalis).*
C Manganbrist, havre.
D-E Magnesiumbrist, korn på kalkfattig jord.

Manganmangel (lyspletsyge).

A Rug.
B Byg.
C Havre (se også tavle 4 C).
D Hvede, marts.
E Normal hvede.
F Hvede, maj – svage symptomer.
G Hvede, maj – stærke symptomer.
H Hvede, april.

Manganese Deficiency (Grey Leaf).

A Rye.
B Barley.
C Oats (see also plate 4 C).
D Wheat, March.
E Normal wheat.
F Wheat, May, slight symptoms.
G Wheat, May, severe symptoms.
H Wheat, April.

Manganbrist (Gråfläcksjuka).

A Råg.
B Korn.
C Havre (se även plansch 4 C).
D Höstvete, mars.
E Normalt höstvete.
F Höstvete, maj, svaga symptom.
G Höstvete, maj, svåra symptom.
H Höstvete, april.

A B C

D E F G H

6

A

B

C

D

E

A Tørkesvidning på byg (sandjord, juni).
B-C Kobbermangel (gulspidssyge) på havre.
D Kobbermangel (gulspidssyge) på byg.
E Svidning efter sprøjtning med dinitroortokresol.

A Drought Scorch in barley (sandy soil, June).
B-C Copper Deficiency (white tip) in oats.
D Copper Deficiency (white tip) in barley.
E Scorching after spraying with dinitroorthocresol.

A Torkskada på korn (sandjord, juni).
B-C Kopparbrist (gulspetssjuka) på havre.
D Kopparbrist (gulspetssjuka) på korn.
E Brännskada efter sprutning med dinitroorthokresol.

Frostskade.

A	Hvede, marts.	G	Rug, maj.
B-C	Rug, april.	H-I	Rug, april.
D	Rug, maj (nattefrost).	J	Havre, maj.
E	Rug, juni (nattefrost).	K-L	Byg, maj.
F	Byg, juni (nattefrost).		

Frost injury.

A	Wheat, March.	G	Rye, May.
B-C	Rye, April.	H-I	Rye, April.
D	Rye, May (night frost).	J	Oats, May.
E	Rye, June (night frost).	K-L	Barley, May.
F	Barley, June (night frost).		

Frostskada.

A	Vete, mars.	G	Råg, maj.
B-C	Råg, april.	H-I	Råg, april.
D	Råg, maj (nattfrost).	J	Havre, maj.
E	Råg, juni (nattfrost).	K-L	Korn, maj.
F	Korn, juni (nattfrost).		

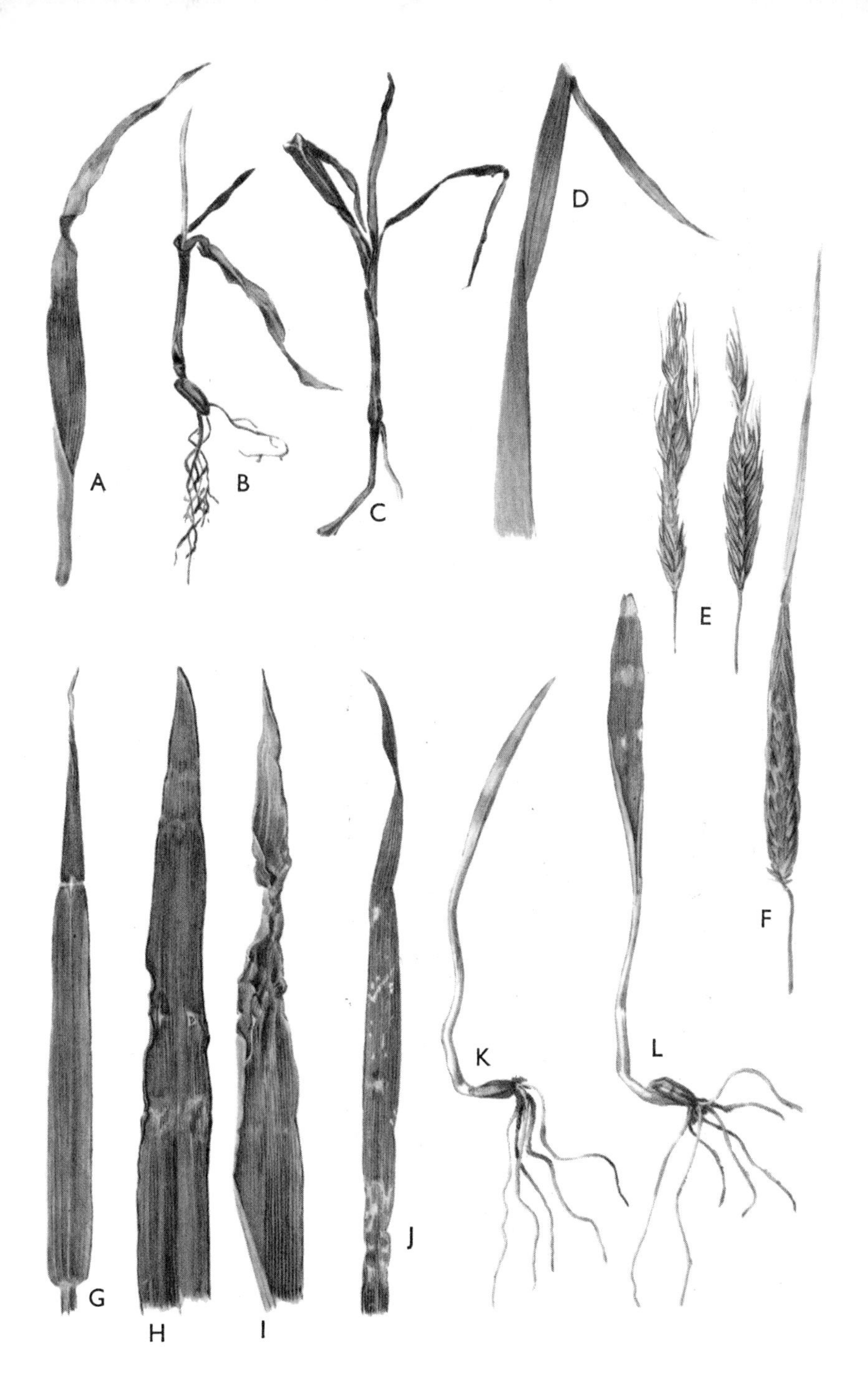
A
B
C
D
E
F
G
H
I
J
K
L

8

A Boraxforgiftning på byg, maj.
B Boraxforgiftning på byg, juli.
C Båndgræs (arvelig variation), byg.
D Jernmangel på byg, juni.
E Kloratforgiftning på havre, juli.
F Kloratforgiftning på byg, juli.
G Hvede, gule klare småpletter, juni (årsag ubekendt).
H Ionforgiftning, byg fra karforsøg (kan fremkaldes ved store gødningsmængder, lav pH m.m.).
I Saltskade (havvand) på byg, maj.

A-B Borax injury in barley, May and July respectively.
C Ribbon leaf (genetical abnormality), barley.
D Iron Deficiency in barley, June.
E-F Sodium chlorate injury in oats and barley resp., July.
G "Physiological speckle" in wheat, June (cause unknown).
H Ion injury, barley from pot experiment (may be induced by high amounts of fertilizer, low pH, and other causes).
I Sea-salt injury in barley, May.

A Borförgiftning hos korn, maj.
B Borförgiftning hos korn, juli.
C Bandning (ärftlig variation), korn.
D Järnbrist hos korn, juni.
E Kloratförgiftning hos havre, juli.
F Kloratförgiftning hos korn, juli.
G Vete, gula, genomlysande småfläckar, juni (orsak obekant).
H Jonförgiftning, korn från kärlförsök (kan framkallas av stora gödselgivor, lågt pH m.m.).
I Saltskada på korn, maj (havsvatten).

A Havre-pletbakteriose *(Phytomonas coronafaciens)*, gennemfaldende lys, sml. tavle 13 D-F (ca. 2×forst.).

B Havre-gråplet *(Septoria avenae)* med talrige sorte knopcellehuse i pletterne (ca. 2×forst.).

C Mørke bladpletter i havre, årsagen ubekendt (ca. 2×forst.).

D Små klare pletter i hvedeblade, årsagen ubekendt (ca. 2×forst.). Sml. tavle 8G.

A Halo Blight *(Phytomonas coronafaciens)* in oats, transmitted light (ca. ×2 enl.). Compare plate 13 D-F.

B Septoria leaf-spot *(Septoria avenae)* of oats, with numerous pycnidia in the spots (ca. ×2 enl.).

C Dark leaf-spots in oats, cause unknown (ca. ×2 enl.).

D Physiological speckle in wheat, cause unknown (ca. ×2 enl.). Compare plate 8G.

A Fläckbakterios *(Phytomonas coronafaciens)* hos havre, genomfallande ljus, jfr plansch 13 D-F (ca 2 × förstoring).

B Bladfläcksjuka hos havre *(Septoria avenae)* med talrika svarta pyknider i fläckarna (ca 2 × förstoring).

C Mörka bladfläckar på havre, orsak obekant (ca 2 × förstoring).

D Små klara fläckar på veteblad, orsak obekant (ca 2 × förstoring). Jfr plansch 8G.

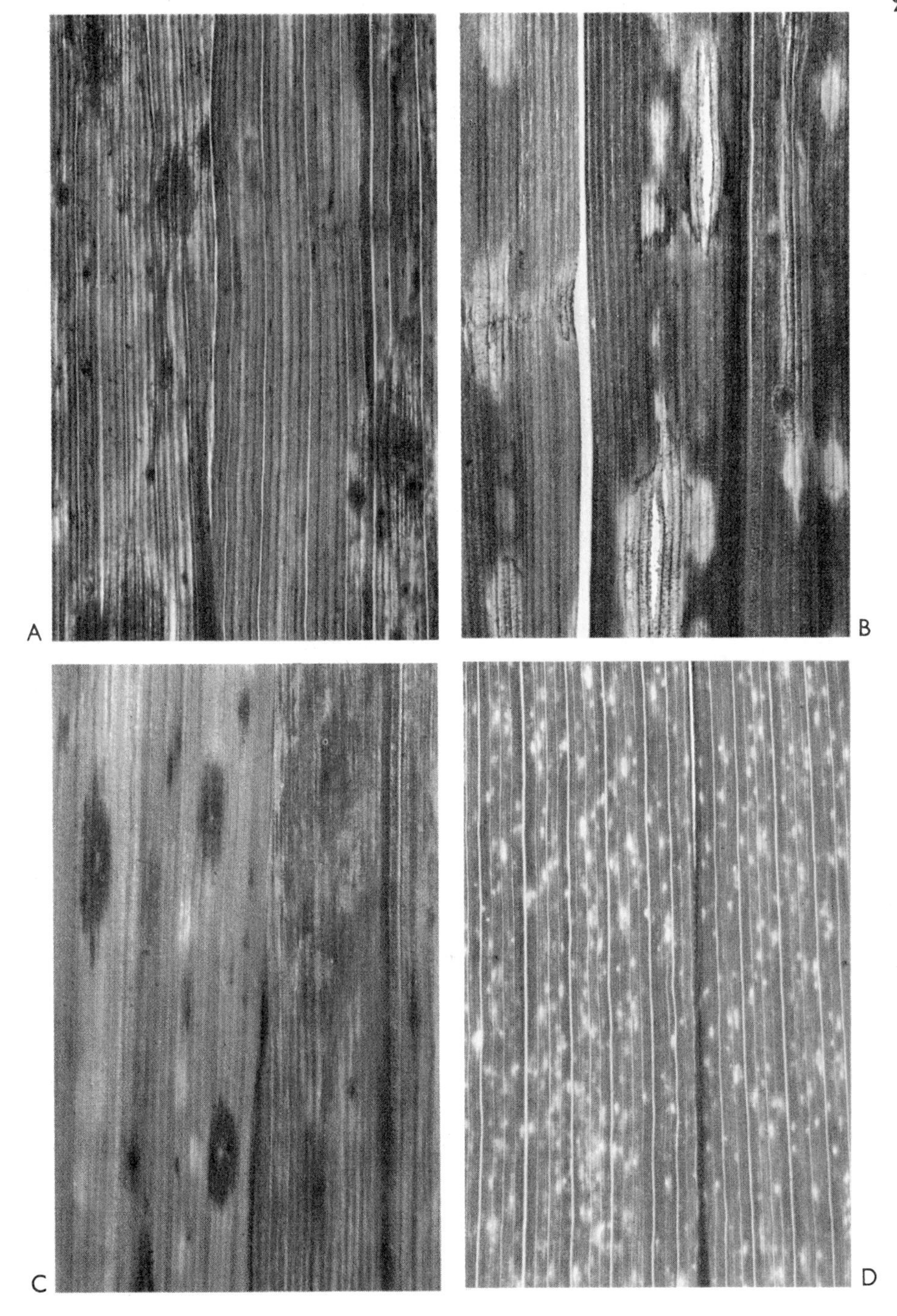
A
B
C
D

B
C
D
A

A Goldfodsyge *(Ophiobolus graminis)* på hvede.
B Sortskimmel *(Cladosporium sp.)* på strå af fodsyg hvede.
C Sortskimmel *(Cladosporium sp.; Alternaria sp.)* på rester af døde støvfang, rug.
D Sortskimmel *(Cladosporium sp.)* på aks af fodsyg hvede.

A Take-All *(Ophiobolus graminis)* on wheat.
B Black Mould *(Cladosporium sp.)* on straw of wheat killed by Take-All.
C Black Mould *(Cladosporium sp.; Alternaria sp.)* on dead styles, rye.
D Black Mould *(Cladosporium sp.)* on ear of wheat killed by Take-All.

A Rotdödare *(Ophiobolus graminis)* på vete.
B Ytlig svart svampbeläggning, »sotdagg« *(Cladosporium sp.)* på strå av vete angripet av rotdödare.
C »Sotdaggsvampar« *(Cladosporium sp.; Alternaria sp.)* på döda plantrester, råg.
D »Sotdagg« *(Cladosporium sp.)* på ax av vete angripet av rotdödare.

A Øjepletsvamp *(Cercosporella herpotrichoides)*, første infektion på unge hvedeplanters skedeblad (3 × forst.).
B-C Øjepletsvamp, hvede ved vinterens slutning.
D Knækkefodsyge, fremkaldt af rodfiltsvamp *(Corticium solani)*. Materiale fra Rothamsted forsøgsstations plantepatologiske laboratorium.
E-F Melanisme på hvede (årsag ubekendt).
G Knækkefodsyge *(Cercosporella herpotrichoides)* på rug.
H Knækkefodsyge *(Cercosporella herpotrichoides)* på hvede.

A Eyespot *(Cercosporella herpotrichoides)*, early infection of wheat coleoptiles (× 3 enl.).
B-C Eyespot in wheat at the end of winter.
D Sharp Eyespot *(Corticium solani)*. Materiel from the Department of Plant Pathology, Rothamsted.
E-F Melanism in wheat (cause unknown).
G Eyespot *(Cercosporella herpotrichoides)* lodging in rye.
H Eyespot lodging in wheat.

A Stråknäckare *(Cercosporella herpotrichoides)*, tidigt angrepp på unga vetekoleoptiler (3 × först.).
B-C Stråknäckare på höstvete vid slutet av vintern.
D Stråknäckning förorsakad av rotfiltsjuka *(Corticium solani)*. Material från Rothamsteds försöksstation, växtpatologiska laboratoriet.
E-F Melanism hos vete (orsak obekant).
G Stråknäckare *(Cercosporella herpotrichoides)* på råg.
H Stråknäckare *(Cercosporella herpotrichoides)* på vete.

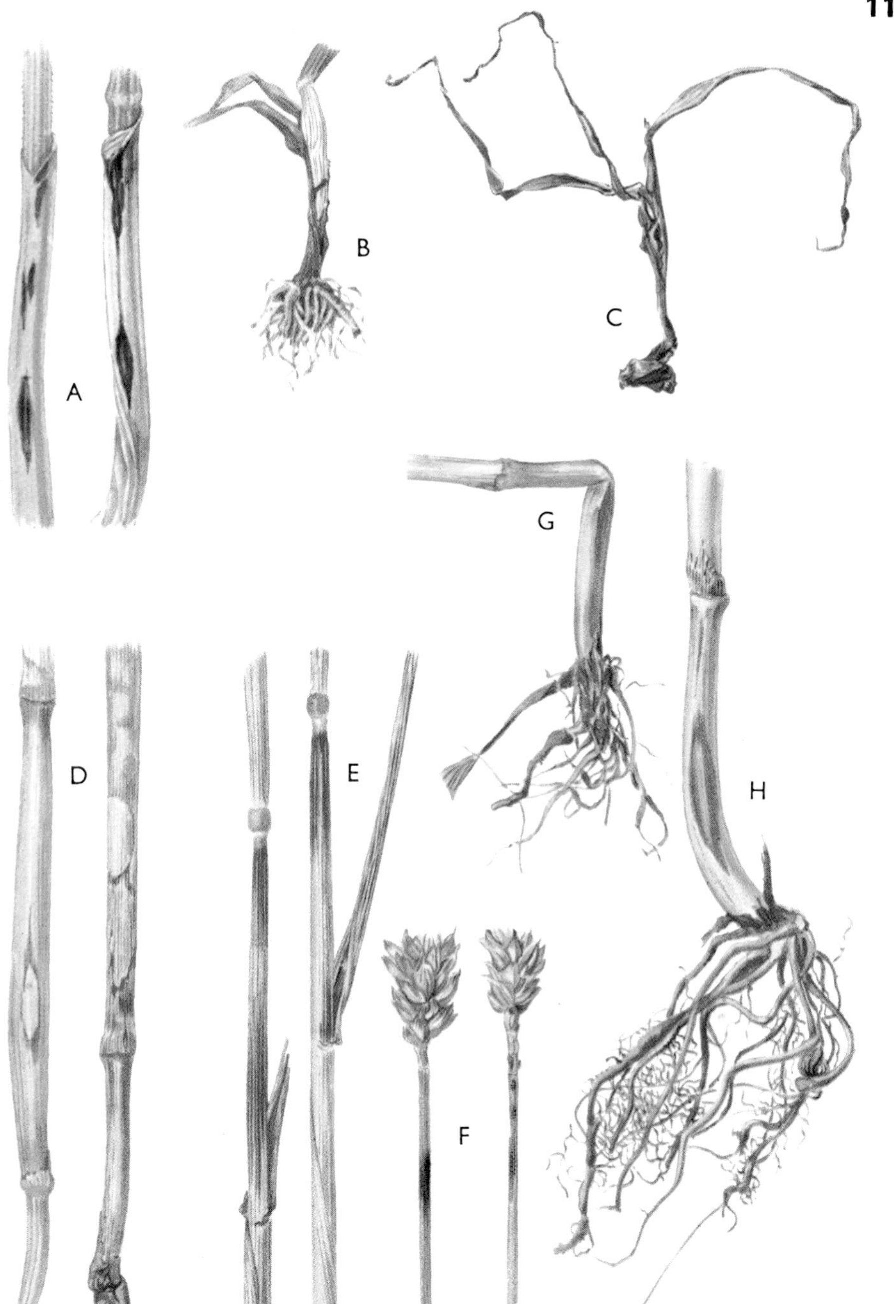
A
B
C
D
E
F
G
H

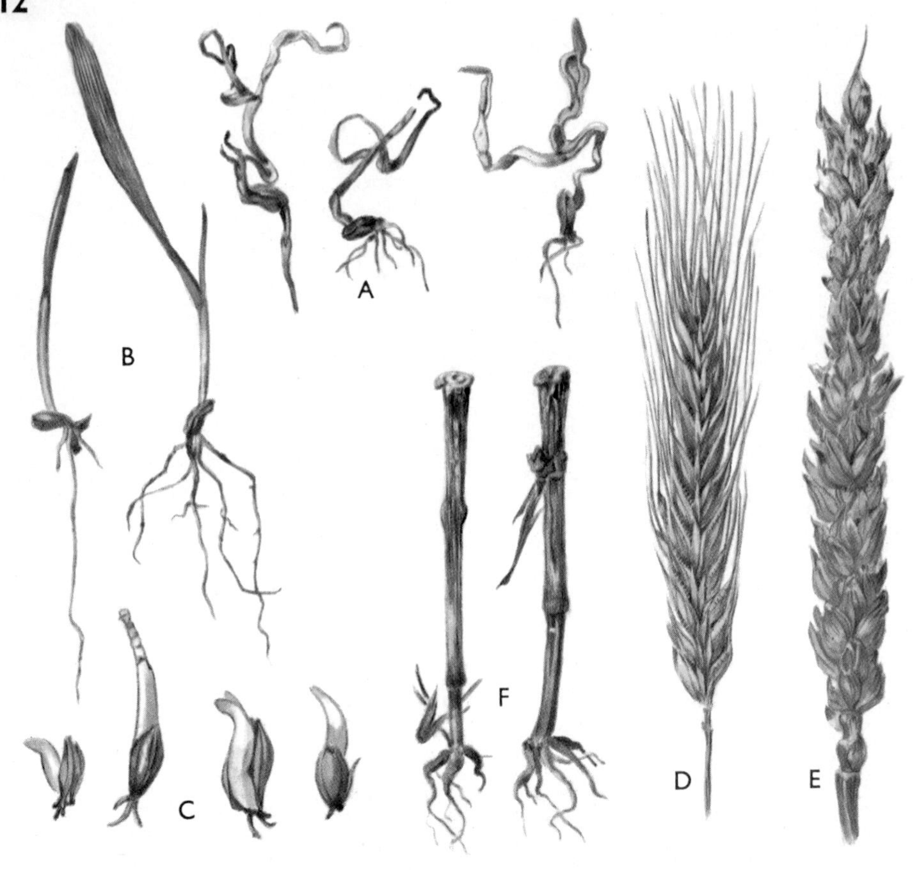
A
B
C
F
D
E

G

A Spiringsfusariose (*Fusarium spp.*).
B Afsvampningsskade (overdosering af kviksølvmidler) på hvede.
C Afsvampningsskade (overdosering af kviksølvmidler) på havre.
D Aksfusariose på rug.
E Aksfusariose på hvede, indledet af frostskade.
F Havrehat (*Fusarium spp.*) på hvedestub.
G Sneskimmel (*Calonectria graminicola*) i hvede.

A Brown foot rot (*Fusarium spp.*).
B-C Seed disinfection injury (overdosage of mercury compounds) in wheat and oats respectively.
D Ear Blight (*Fusarium spp.*) in rye.
E Ear Blight (*Fusarium spp.*) following frost injury, wheat.
F "Oat Cap" (*Fusarium spp.*) on wheat stubble.
G Snow Mould (*Calonectria graminicola*), in wheat.

A Groddfusarios (*Fusarium spp.*).
B Betningsskada (överdosering av kvicksilverbetningsmedel) på vete.
C Betningsskada (överdosering av kvicksilverbetningsmedel) på havre.
D Axfusarios på råg.
E Axfusarios på vete till följd av frostskada.
F Slemmögel (*Fusarium spp.*) på vetestubb.
G Snömögel (*Calonectria graminicola*) på vete.

A-B Hvede-gråplet *(Septoria tritici)*.
C Hvede-gråplet, januar, 2 × forst.
D-F Havre-pletbakteriose *(Phytomonas coronafaciens)*. D ny infektion, E set i gennemfaldende lys, sml. tavle 9.
G Meldug *(Erysiphe graminis)*.
H Meldug på hvedeaks.
I Honningdug, forstadium til meldrøjer *(Claviceps purpurea)*.
J Meldrøjer i rugaks.
K Meldrøjer med svampens frugtlegemer.

A-B Leaf-Spot *(Septoria tritici)* on wheat.
C Leaf-Spot, wheat, January (× 2 enl.).
D-F Halo Blight *(Phytomonas coronafaciens)* in oats. D recent infection; E shown in transmitted light. Compare plate 9.
G Mildew *(Erysiphe graminis)*.
H Mildew on wheat ear.
I "Honeydew", conidial stage of Ergot *(Claviceps purpurea)*.
J Ergot in rye.
K Ergot with fructification.

A-B Svartpricksjuka *(Septoria tritici)* på vete.
C Svartpricksjuka på vete, januari, 2 × först.
D-F Bladbakterios *(Phytomonas coronafaciens)* på havre. D ny infektion, E sett i genomfallande ljus, jfr plansch 9.
G Gräsmjöldagg *(Erysiphe graminis)*.
H Mjöldagg på veteax.
I Honungsdagg, förstadium till mjöldryga *(Claviceps purpurea)*.
J Mjöldrygor i rågax.
K Mjöldrygor med svampens fruktkroppar.

A B D E G H I F C K J

14

A
B
C
D
E
F
G

A-C Byggets stribesyge *(Helminthosporium gramineum).*
D Byggets bladpletsyge *(Helminthosporium teres).*
E Havrens bladpletsyge *(Helminthosporium avenae).*
F *Rhynchosporium*-bladpletter, »Marssoniose« *(Rhynchosporium secalis)* på rug.
G *Rhynchosporium*-bladpletter på byg. Sml. tavle 4B.

A-C Barley Leaf Stripe *(Helminthosporium gramineum).*
D Net Blotch *(Helminthosporium teres)* of barley.
E Leaf-Spot *(Helminthosporium avenae)* of oats.
F Leaf Blotch *(Rhynchosporium secalis)* of rye.
G Leaf Blotch *(Rhynchosporium secalis)* of barley (compare plate 4B).

A-C Strimsjuka hos korn *(Helminthosporium gramineum).*
D Kornbladfläcksjuka *(Helminthosporium teres).*
E Bladfläcksjuka hos havre *(Helminthosporium avenae).*
F Bladfläckar på råg orsakade av *Rhynchosporium secalis.*
G Bladfläckar på korn orsakade av *Rhynchosporium secalis.* Jfr plansch 4B.

A-B	Korsved-kronrust *(Puccinia coronata)*, på B sorte vintersporer.
C	Bygrust *(Puccinia hordei, syn. P. anomala)*.
D-E	Rug-brunrust *(Puccinia dispersa)*.
F	Hvede-brunrust *(Puccinia triticina)*.
G-H	Hvede-gulrust *(Puccinia glumarum)*.
I	Sortrust *(Puccinia graminis)* på kvik.
J	Sortrust, sommersporer på rug.
K	Sortrust, vintersporer på rug.
L	Sortskimmel *(Cladosporium sp.)* på dødt rugstrå.

A-B	Crown Rust *(Puccinia coronata)* on oats. In B black winter spores.
C	Brown Rust *(Puccinia hordei syn. P. anomala)* on barley.
D-E	Brown Rust *(Puccinia dispersa)* on rye.
F	Brown Rust *(Puccinia triticina)* on wheat.
G-H	Yellow Rust *(Puccinia glumarum)* on wheat.
I	Black Rust *(Puccinia graminis)* on couch grass *(Agropyrum repens)*.
J-K	Black Rust *(Puccinia graminis)* on rye, summer and winter spores respectively.
L	Black Mould *(Cladosporium sp.)* on dead rye straw.

A-B	Havre – Kronrost *(Puccinia coronata)*, på B svarta vintersporer.
C	Kornrost *(Puccinia hordei, syn. P. anomala)*.
D-E	Rågbrunrost *(Puccinia dispersa)*.
F	Vetebrunrost *(Puccinia triticina)*.
G-H	Gulrost på vete *(Puccinia glumarum)*.
I	Svartrost *(Puccinia graminis)* på kvickrot.
J	Svartrost, sommarsporer på råg.
K	Svartrost, vintersporer på råg.
L	»Sotdagg« *(Cladosporium sp.)* på dött rågstrå.

C F H I

A B D E G J K L

C

D

A

E

F

G

A Korsved *(Rhamnus cathartica)*, blad med skålrust af kronrust, sml. tavle 15A-B.
B Korsved med frugter.
C-D Alm. berberis *(Berberis vulgaris)* med frugter og blomster; på D skålrust hørende til sortrust, sml. tavle 15 I-K.
E Frøplante af alm. berberis.
F-G Blade af alm. berberis, visende de 10–30 fine torne i hver bladhalvdel, der er karakteristisk for arten.
H Gren af alm. berberis med tregrenede torne.

A Common Buckthorn *(Rhamnus cathartica)*, leaf with cluster cups of Crown Rust, compare plate 15 A-B.
B Common Buckthorn with fruits.
C-D Common Barberry *(Berberis vulgaris)*, with flowers and fruits respectively. In D cluster cups of Black Rust, compare plate 15 I-K.
E Seedling of Common Barberry.
F-G Leaves of Common Barberry, showing the 10–30 fine marginal bristled teeth characteristic of the species.
H Branch of Common Barberry showing triple spines.

A Vägtorn *(Rhamnus cathartica)*, blad med skålrost av havrekronrost. Jfr plansch 15 A-B.
B Vägtorn med frukter.
C-D Vanlig berberis *(Berberis vulgaris)* med frukter och blommor; på D skålroststadiet av svartrosten, jfr plansch 15 I-K.
E Fröplanta av vanlig berberis.
F-G Blad av vanlig berberis visande 10–30 fina taggar i varje bladhalva – karaktäristiskt för arten.
H Gren av vanlig berberis med tregrenade tornar.

A Rugens stængelbrand *(Urocystis occulta)*.
B-E Hvede-stinkbrand *(Tilletia caries)*; B brandaks; C brandkorn; D hvedekærner smittede med brandsporer; E normale hvedekærner.
F Nøgen hvedebrand *(Ustilago tritici)*.

A Stripe Smut *(Urocystis occulta)* of rye.
B-E Bunt *(Tilletia caries)*. B smutted head; C bunted grain; D wheat grain infected with bunt spores; E normal kernels.
F Loose Smut *(Ustilago tritici)* in wheat.

A Stråsot hos råg *(Urocystis occulta)*.
B-E Stinksot på vete *(Tilletia caries)*; B stinksotax; C angripna kärnor; D vetekärnor smittade av stinksotsporer; E normala vetekärnor.
F Veteflygsot *(Ustilago tritici)*.

A

B

C

D

E

F

E

D

A

B

C

A Dækket bygbrand *(Ustilago hordei)*, skredet og uskredet aks.
B-C Nøgen havrebrand *(Ustilago avenae)*, tidligt og sildigt stadium.
D Nøgen bygbrand *(Ustilago nuda)* i 3 stadier.
E Nøgen bygbrand, partielt angrebet aks.

A Covered Smut *(Ustilago hordei)* on barley.
B-C Loose Smut *(Ustilago avenae)* on oats, early and later stage.
D Loose Smut *(Ustilago nuda)* on barley, 3 stages.
E Loose Smut in barley, ear partially infected.

A Hårdsot hos korn *(Ustilago hordei)*.
B-C Havreflygsot *(Ustilago avenae)*, tidigt och sent stadium.
D Kornflygsot *(Ustilago nuda)* i 3 stadier.
E Kornflygsot, partiellt angripet ax.

Sadelgalmyggen *(Haplodiplosis equestris)*

A Sadelgalmyg (hun).
B Fuldvoksen larve.
C Puppe.
D Striber af æg på blad af byg, stærkt forstørret (æggets længde 0,4-0,5 mm).
E Unge larver.
F Sadler på bygstrå.
G Ældre larver.
H Ødelagt bygstrå, som er knækket ud af bladskeden.

Saddle Gall midge *(Haplodiplosis equestris)*

A Saddle Gall midge (female).
B Full grown larva.
C Pupa.
D Eggs on a leaf of barley (enlarged, length of the egg 0,4-0,5 mm).
E Young larvae.
F Saddles on a stem of barley.
G Older larvae.
H Destroyed and broken stem of barley.

Sadelgallmyggan *(Haplodiplosis equestris)*

A Sadelgallmygga (hona).
B Fullbildad larv.
C Puppa.
D Äggsamlingar i rader på blad av korn (längden av äggen 0,4-0,5 mm).
E Unga larver.
F Sadelbildningar på strå av korn.
G Äldre larver.
H Starkt skadat och knäckt strå av korn.

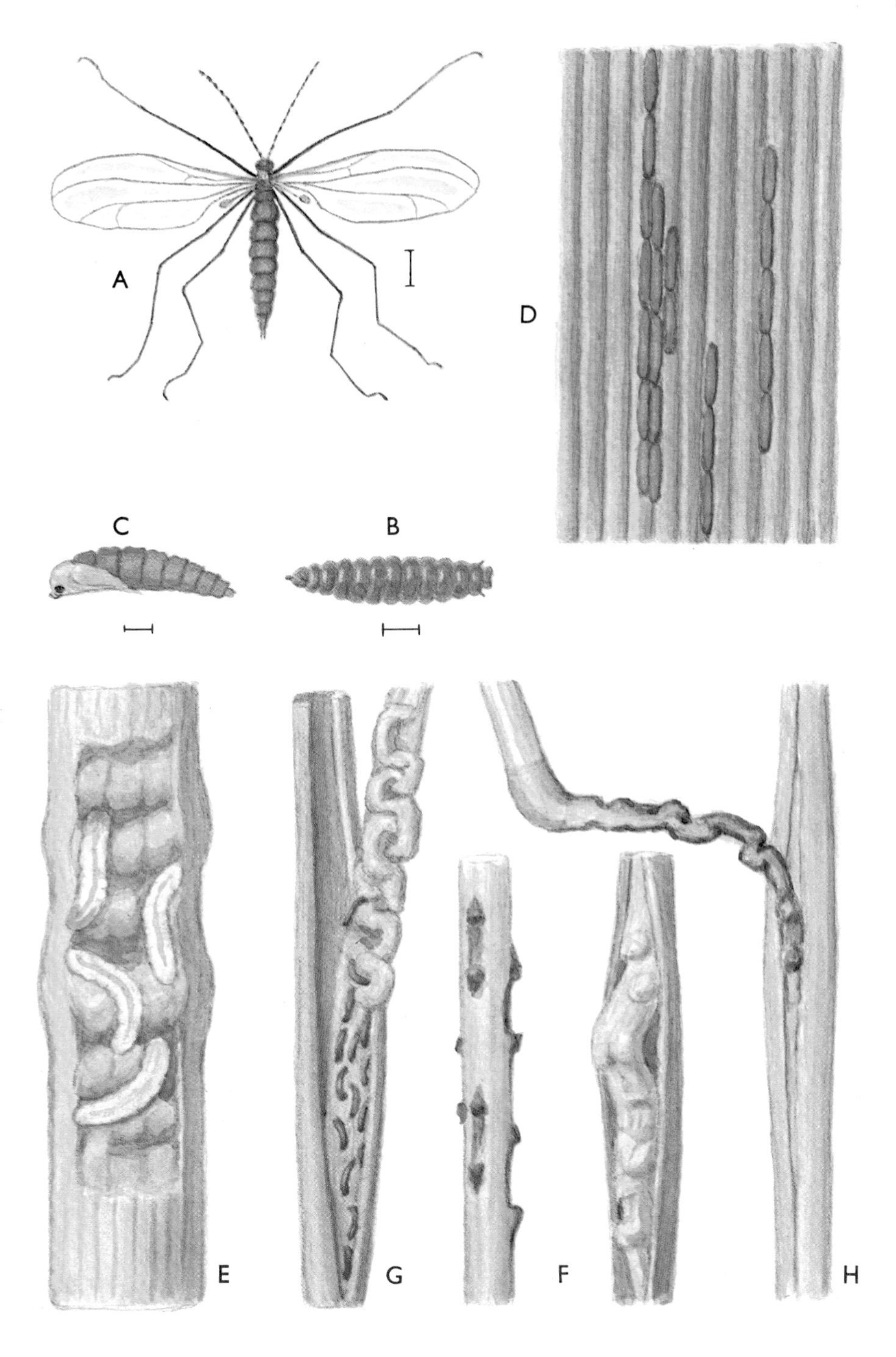
A
B
C
D
E
G
F
H

20

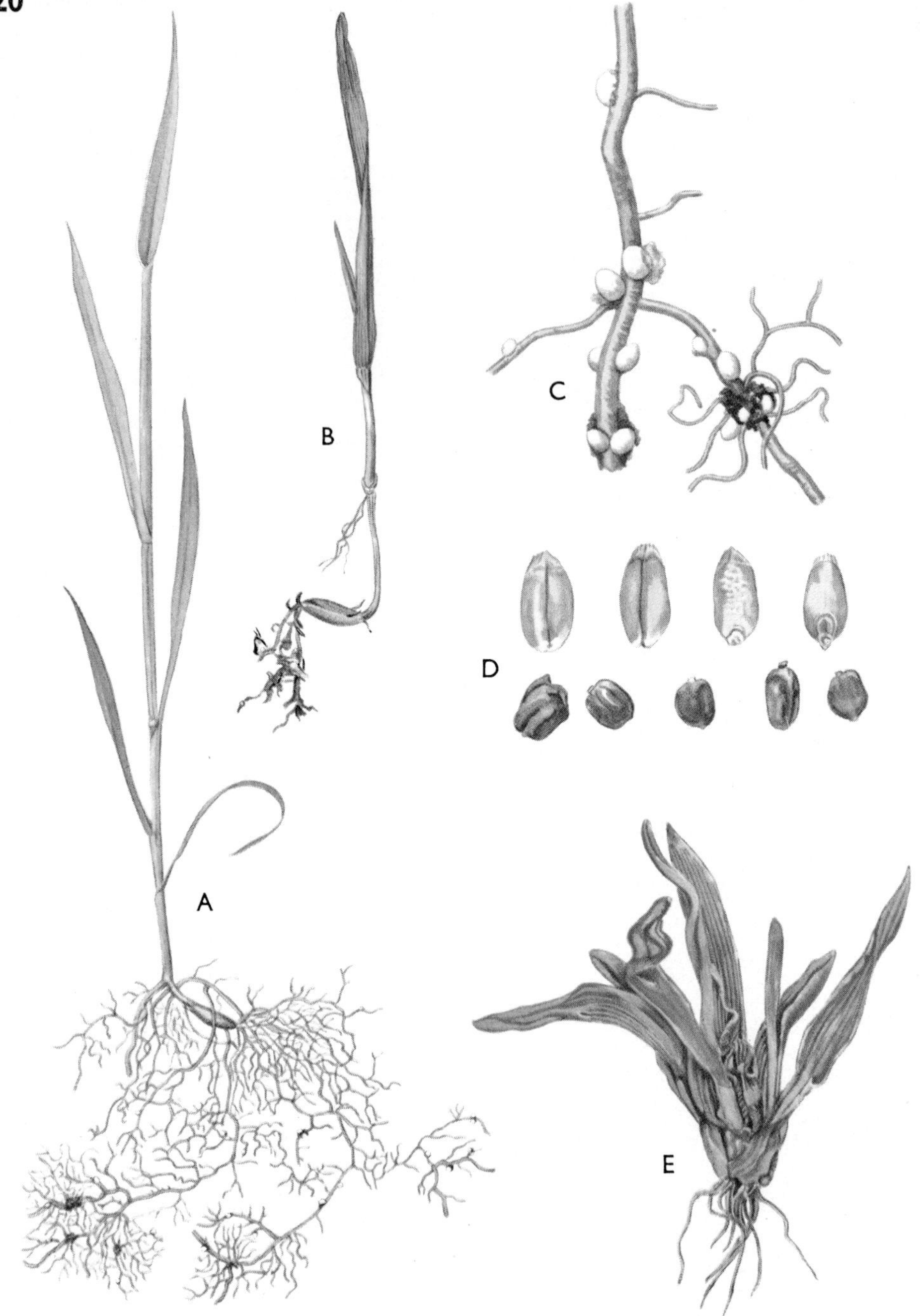

A Havreål *(Heterodera major)*. Havreplante med rodforgreninger og hunner på rødderne.
B Havreål, angreb i tidligt stadium.
C Havreål, hunner på rod (ca. 10 × forst.).
D Hvedeål *(Anguina tritici)*, sunde kærner øverst, ålegaller nederst.
E Stængelål *(Ditylenchus dipsaci)* på rug.

A The Cereal Root eelworm *(Heterodera major)*. Oat plant with abnormal branching and females on the roots.
B The Cereal Root eelworm, attack in early stage.
C The Cereal Root eelworm, root with white females attached (about × 10 enl.).
D Normal wheat grains (above) and "ear cockles" or "peppercorn" due to attack by *Anguina tritici* (below).
E The Stem and Bulb eelworm *(Ditylenchus dipsaci)*, stem disease in young rye plant.

A Havreål *(Heterodera major)*. Havreplanta med rotförgreningar och honor på rötterna.
B Havreål, angrepp på tidigt stadium.
C Havreål, honor på en rot (ca 10 × först.).
D Veteål *(Anguina tritici)*, överst friska kärnor, nedtill »gallkorn«.
E Stjälkål *(Ditylenchus dipsaci)* på råg.

A	Bladlusskade på rug.
B	Bladlusskade på byg.
C	Kornlus *(Macrosiphum granarium)* på havre (1½ × forst.).
D	Thripsskade på rug *(Limothrips sp.)*.
E	Thripsskade på havre *(Limothrips sp.)*.
F	Byg beskadiget af kålthrips *(Thrips angusticeps)*.

A-B	Aphid injury on rye and barley respectively.
C	The Grain aphid *(Macrosiphum granarium)* on oats (1½× enl.).
D-E	Injury on rye and oats caused by thrips *(Limothrips spp.)*.
F	Barley attacked by the Cabbage thrips *(Thrips angusticeps)*.

A	Bladlusskada på råg.
B	Bladlusskada på korn.
C	Sädesbladlus *(Macrosiphum granarium)* på havre (1½ × först.).
D	Tripsskada på råg *(Limothrips sp.)*.
E	Tripsskada på havre *(Limothrips sp.)*.
F	Korn skadat av åkertrips *(Thrips angusticeps)*.

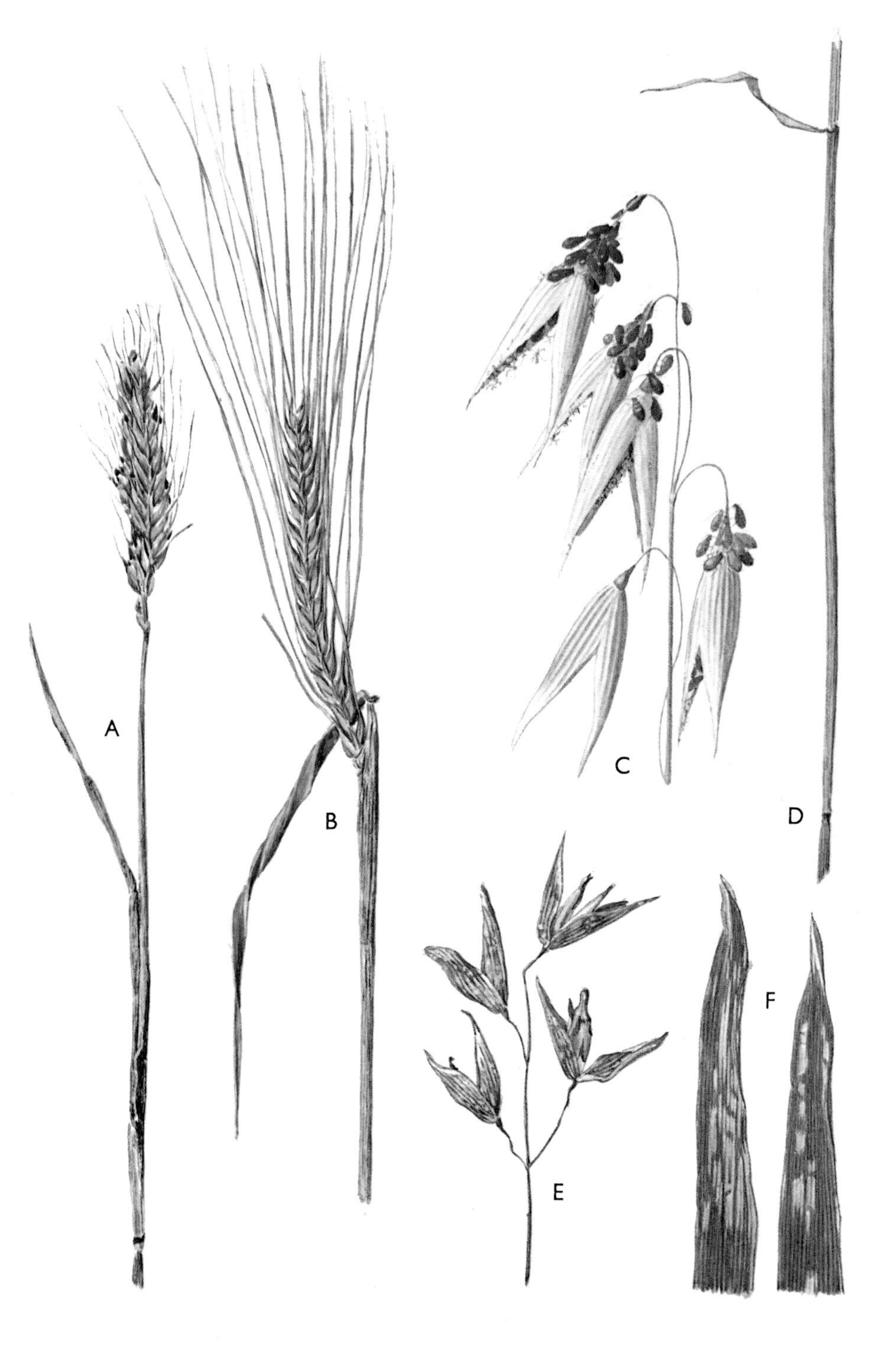
A
B
C
D
E
F

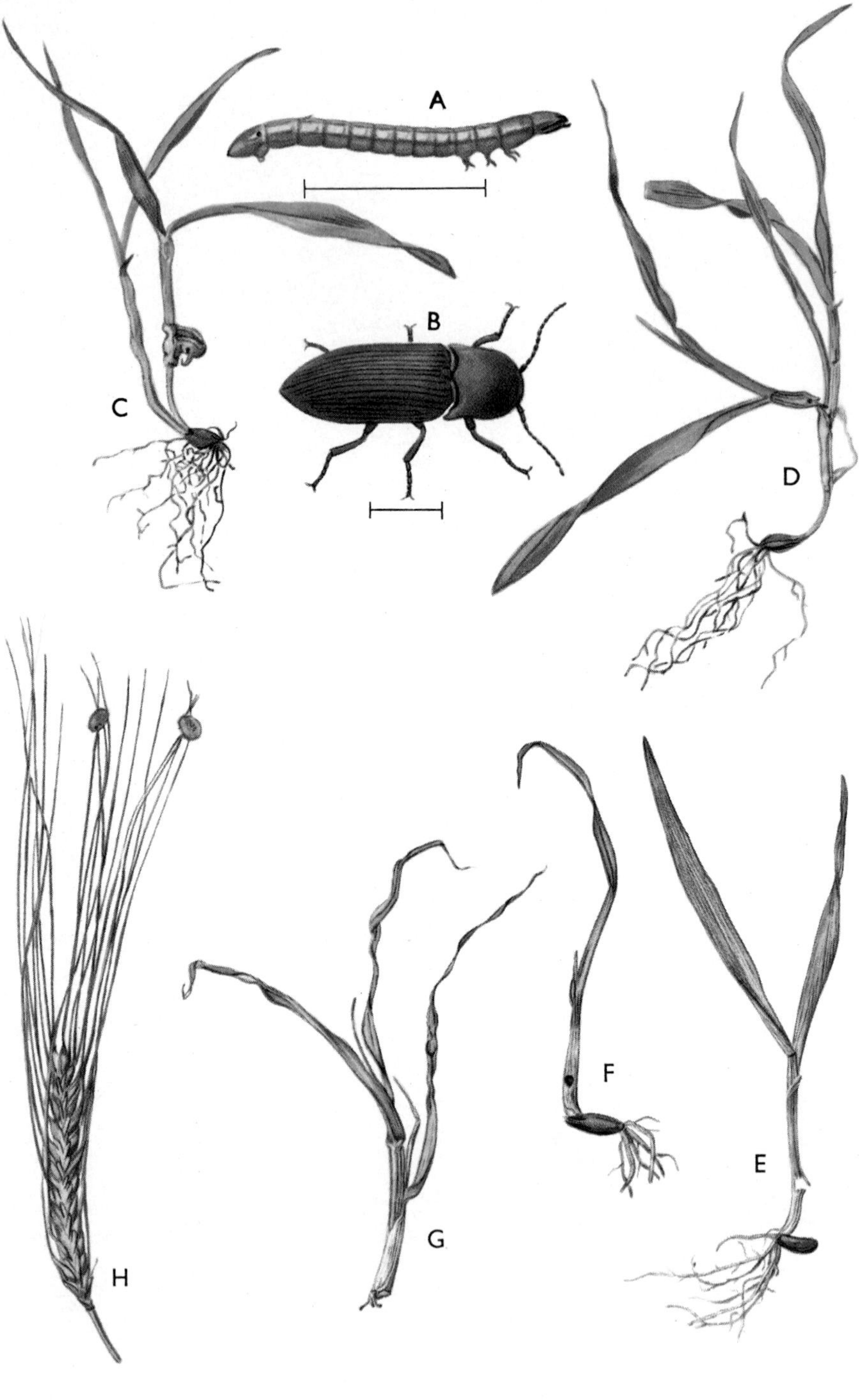

A

B

C

D

H

G

F

E

A Smelderlarve *(Agriotes sp.)*.
B Kornsmelder *(Agriotes lineatus)*.
C-D Bygplanter med skud ødelagt af smelderlarver.
E Karakteristisk smeldergnav, hvede.
F Byg, gnavet af jordloppelarven *Crepidodera ferruginea*.
G Bygplante gnavet over af oldenborrelarve *(Melolontha melolontha)*.
H Pupper af nellikegnaveren *(Phytonomus polygoni)*, en snudebille der lever på diverse vilde planter.

A Wireworm *(Agriotes sp.)*.
B Click-beetle *(Agriotes lineatus)*.
C-E Wireworm injury, C-D barley, E wheat.
F Barley pierced by larva of the Wheat Flea beetle *(Crepidodera ferruginea)*.
G Barley cut by larva of Cockchafer *(Melolontha melolontha)*.
H Pupae commonly found in ears of barley, belonging to *Phytonomus polygoni*, a curculionid living on weeds.

A Knäpparlarv *(Agriotes sp.)*.
B Sädesknäppare *(Agriotes lineatus)*.
C-D Kornplantor med av knäpparlarver helt förstörda skott.
E Karaktäristiskt knäppargnag, vete.
F Korn med gnag av jordloppslarv *(Crepidodera ferruginea)*.
G Kornplanta avgnagd av ollonborrlarv *(Melolontha melolontha)*.
H Puppor av nejlikbladviveln *(Phytonomus polygoni)*, en vivel som lever på diverse vilda växter.

A Halmhveps *(Cephus pygmaeus)*.
B Halmhvepsens larve.
C Hvedeplante med kokon af halmhveps, knæene gennemgnavede.
D Hvidaksuglen *(Hadena secalis)*.
E Hvidaksuglens larve.
F Hvidaks på rug, fremkaldt af hvidaksuglens larve.

A The Wheat Stem sawfly *(Cephus pygmaeus)*.
B Larva of the Wheat Stem sawfly.
C Longitudinal Section of wheat stem, showing the cocoon at the bottom of the straw
D The Common Rustic moth *(Hadena secalis)*.
E The caterpillar of the Common Rustic moth.
F Whiteheads in rye, the stem cut by the caterpillar of the Common Rustic moth.

A Halmstekel *(Cephus pygmaeus)*.
B Halmstekelns larv.
C Veteplanta med kokong av halmstekel; noderna genomborrade.
D Vitaxflyet *(Hadena secalis)*.
E Vitaxflyets larv.
F Vitax på råg, framkallat av vitaxflyets larv.

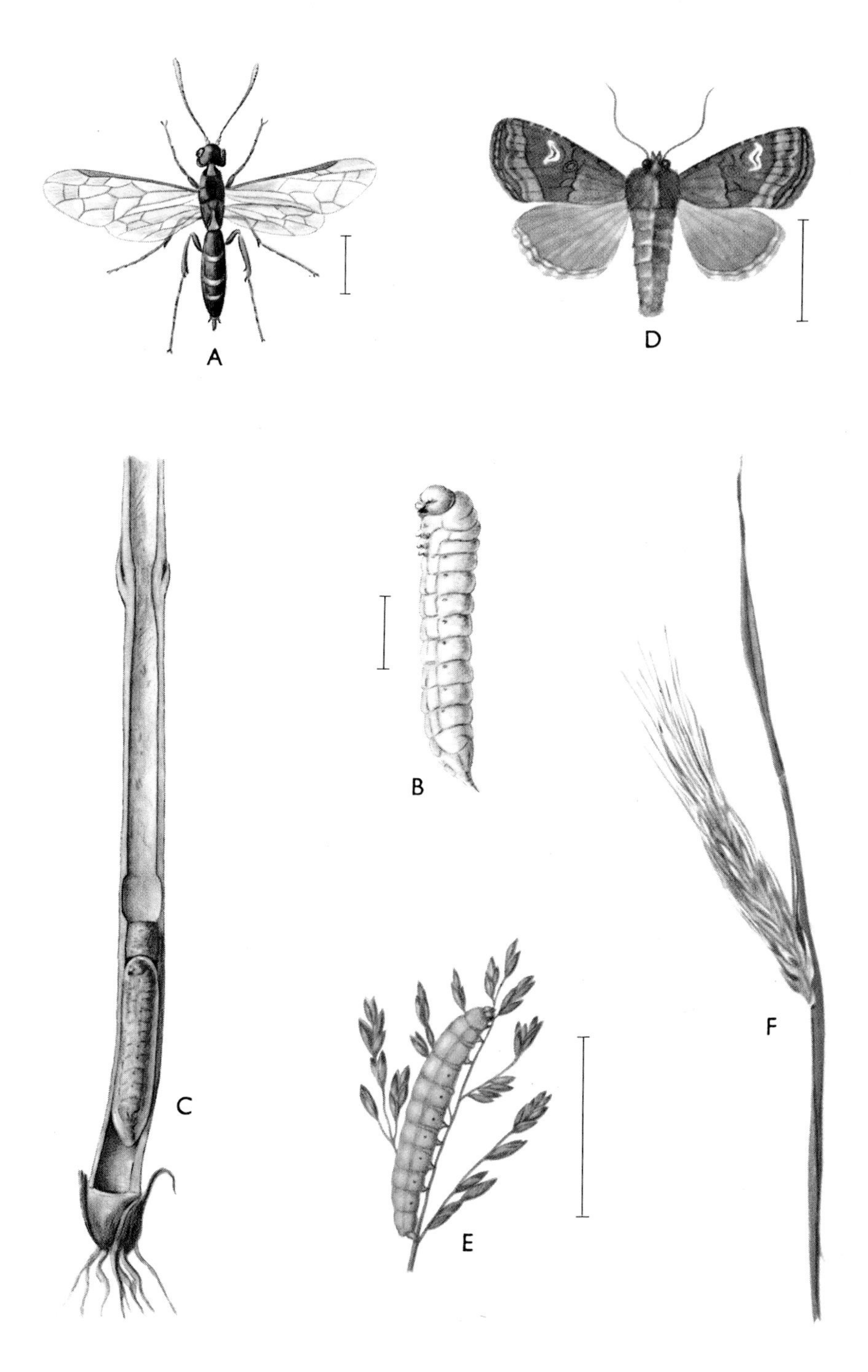
A
D
B
C
E
F

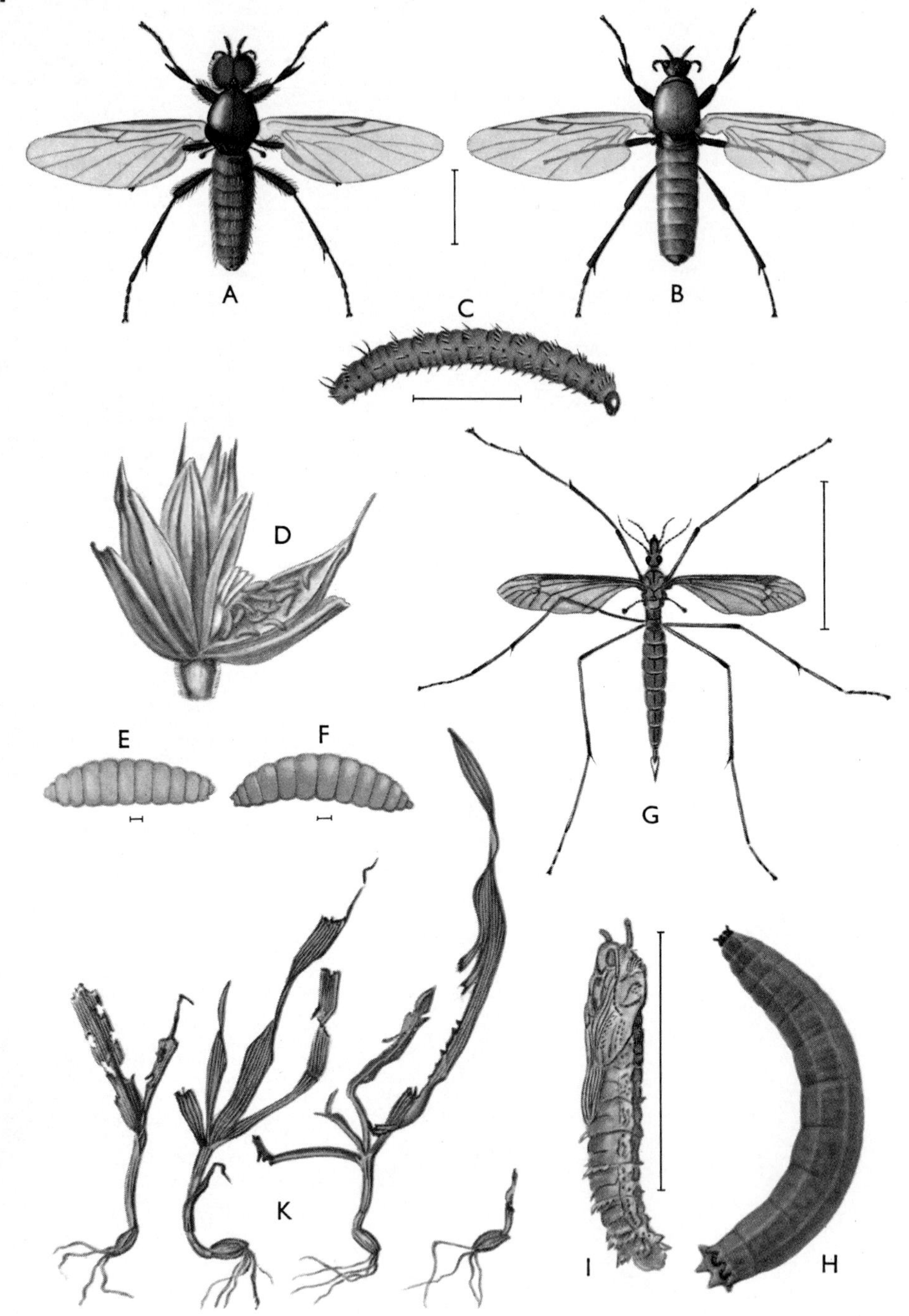
A
B
C
D
E
F
G
K
I
H

A Have-hårmyg *(Bibio hortulanus)*, han.
B Have-hårmyg, hun.
C Larve af have-hårmyg.
D Larver af hvedemyg i småaks af hvede.
E Larve af den almindelige hvedemyg *(Contarinia tritici)*.
F Larve af den orangegule hvedemyg *(Sitodiplosis mosellana)*.
G Stankelben *(Tipula paludosa)*, hun.
H Larve af stankelben.
I Puppe af stankelben.
K Byg gnavet af stankelbenlarver.

A-B Bibionid flies *(Bibio hortulanus)*, male and female resp.
C Larva of *Bibio hortulanus*.
D Larvae of Wheat midge in spikelet of wheat.
E Larva of Wheat midge *(Contarinia tritici)*.
F Larva of Wheat midge *(Sitodiplosis mosellana)*.
G Crane fly *(Tipula paludosa)*.
H Larva of Crane fly *("Leatherjacket")*.
I Pupa of Crane fly.
K Barley plants damaged by leatherjackets.

A-B Trädgårdshårmygga *(Bibio hortulanus)*, hane.
B Trädgårdshårmygga, hona.
C Larv af trädgårdshårmygga.
D Larver av vetemygga i småax av vete.
E Larv av gula vetemyggan *(Contarinia tritici)*.
F Larv av röda vetemyggan *(Sitodiplosis mosellana)*.
G Harkrank *(Tipula paludosa)* hona.
H Larv av harkrank.
I Puppa av harkrank.
K Korn med gnagskador av harkranklarver.

Fritfluen *(Oscinis frit).*

A Havretop med talrige hvidaks.
B Havretop med to hvidaks (senere angreb).
C Larven.
D Puppen.
E Hvedeplante med dræbt hjerteskud, november.
F Havreplante med et dødt hjerteskud.
G Sentsået havre med dræbte hjerteskud og løgformigt opsvulmede skud.

The Frit fly *(Oscinis (Oscinella) frit).*

A-B Blasted spikelets, A from earlier, B from later attack.
C-D Larva and pupa, respectively.
E Wheat plant with main shoot killed, November.
F Oat plant with main shoot killed.
G Late-sown oats with killed main shoots and bulbous bases of tillers.

Fritflugan *(Oscinis frit).*

A Havrevippa med talrika vitax.
B Havrevippa med två vitax (senare angrepp).
C Larven.
D Puppan.
E Veteplanta med dödat hjärtskott, november.
F Havreplanta med dött hjärtskott.
G Sen sådd havre med dödade hjärtskott och lökformigt uppsvällda skott.

A
B
C
D
E
F
G

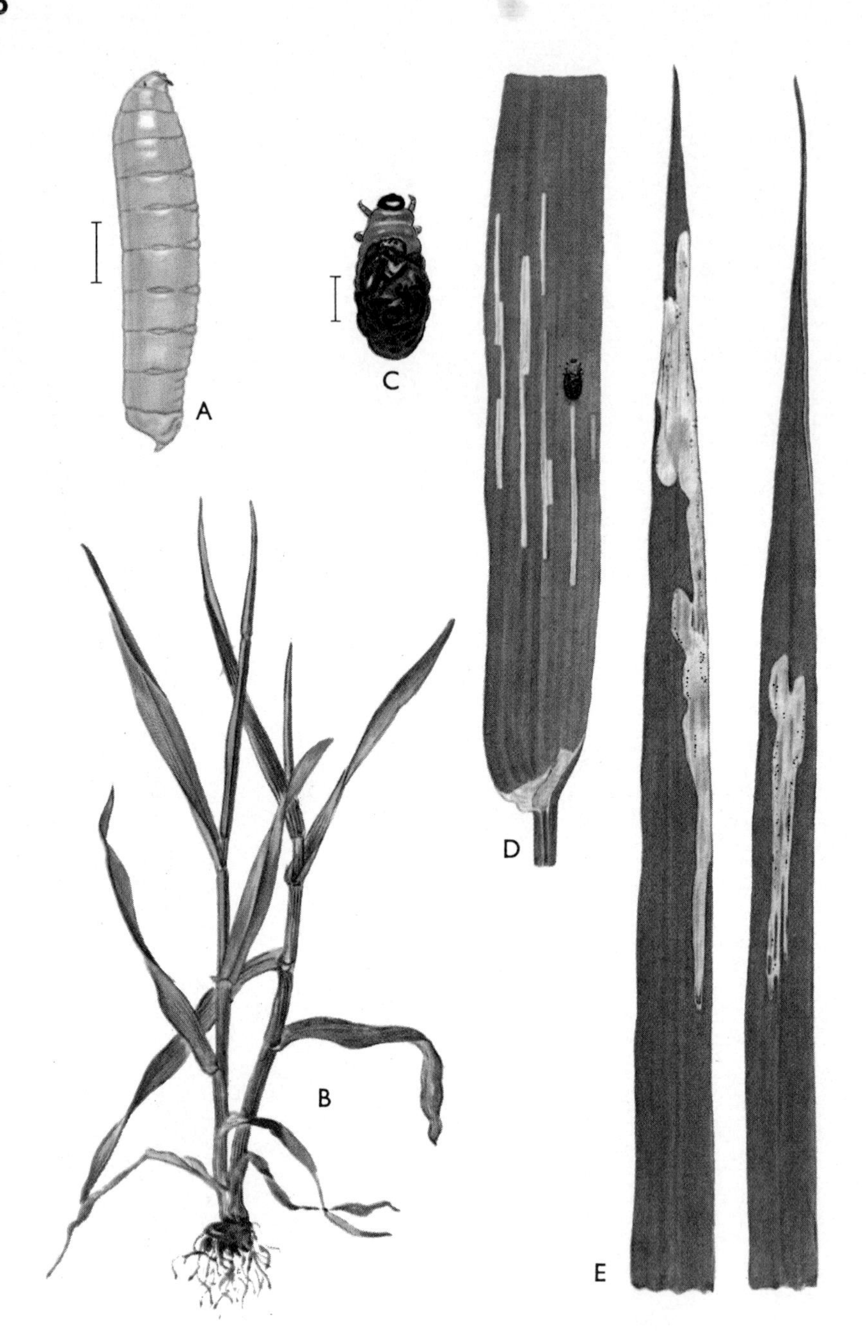
A
C
D
B
E

A Larve af brakfluen *(Hylemyia coarctata).*
B Rugplante med et helt skud og et hjerteskud dræbt af brakfluens larve.
C Larve af korn-bladbillen *(Lema melanopus).*
D Bygblad gnavet af korn-bladbillens larver.
E Blade mineret af kornbladfluen *(Hydrellia griseola).*

A Larva of the Wheat Bulb fly *(Hylemyia coarctata).*
B Rye plant injured by the Wheat Bulb fly.
C Larva of the Cereal Leaf beetle *(Lema melanopus).*
D Barley leaf peeled by larvae of the Cereal Leaf beetle.
E Leaves mined by Leaf minors *(Hydrellia griseola).*

A Larv av rågbroddflugan *(Hylemyia coarctata).*
B Rågplanta med ett helt skott och ett hjärtskott dödat av rågbroddflugans larv.
C Larv av sädesbladbaggen *(Lema melanopus).*
D Kornblad gnagt av sädesbladbaggens larver.
E Blad minerat av kornbladflugan *(Hydrellia griseola).*

Havremiden *(Tarsonemus spirifex).*

A Havreskud med blade og skeder, rødfarvede efter mideangreb.
B Top med røde avner og stængel.

The Oat Spiral mite *(Tarsonemus spirifex).*

A-B Shoot and inflorescence of oats discoloured red from mite attack.

Havrekvalstret *(Tarsonemus spirifex).*

A Havreskott med blad och slidor, rödfärgade efter kvalsterangrepp.
B Vippa med röda agnar och stjälk.

A
B

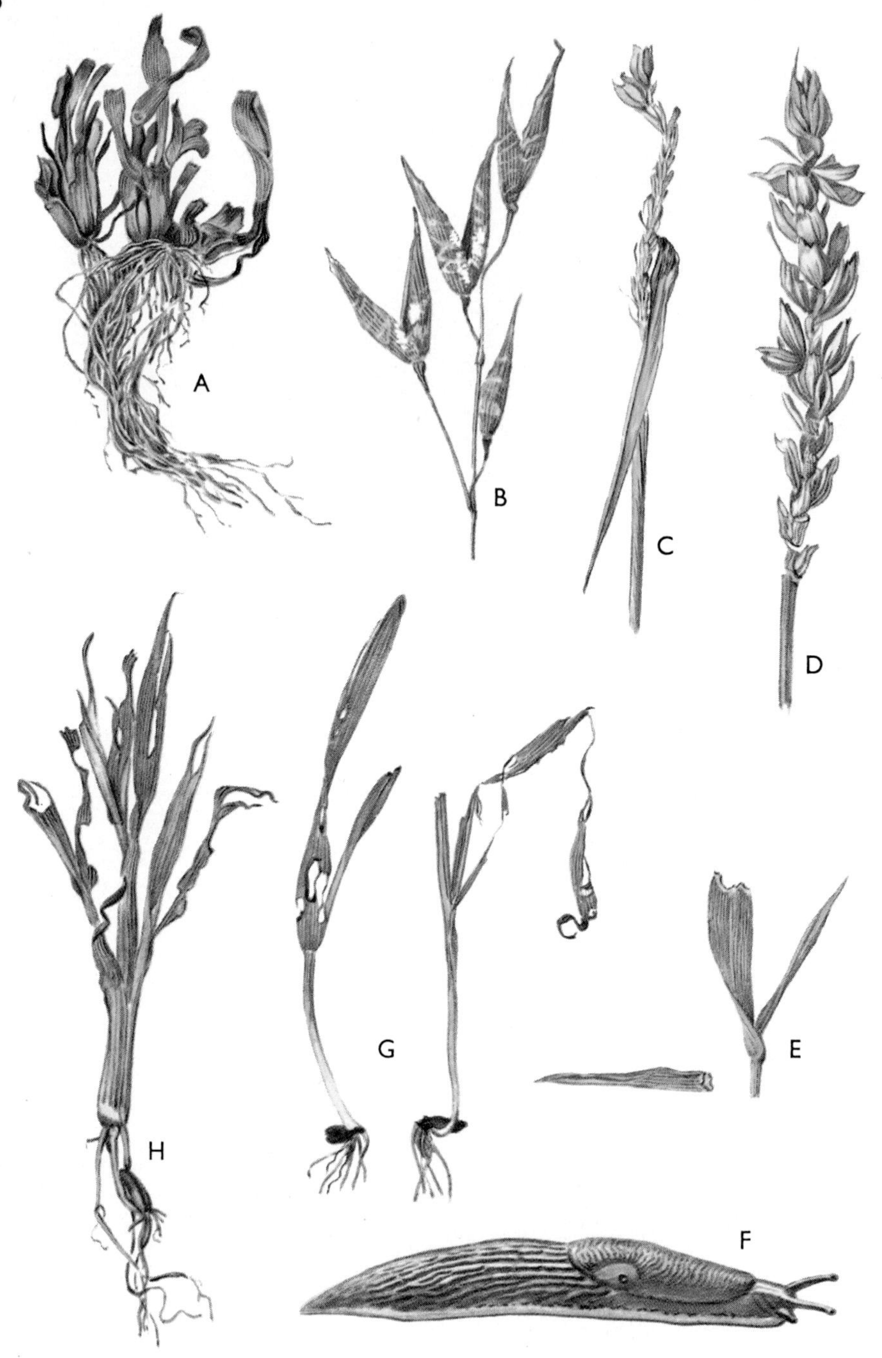
A
B
C
D
H
G
E
F

A Rugplanter, gnavet af mus *(Arvicola agrestis)*, april.
B Havretop med udklemt mælket kerne og næbmærker efter spurve *(Passer domesticus)*.
C-D Byg- og hvedeaks ødelagt af spurve.
E Unge bygplanter bidt over af spurve.
F Agersnegl *(Agriolimax agrestis)*.
G-H Sneglegnav.

A Rye plants, bitten by mice *(Arvicola agrestis)*, April.
B-D Injury from sparrows *(Passer domesticus)* in oats, barley, and wheat. In B distinct markings of the beaks.
E Young barley plant severed by sparrows.
F Grey Field slug *(Agriolimax agrestis)*.
G-H Slug injury.

A Rågplantor med gnagskador av åkersork *(Arvicola agrestis)*, april.
B Havrevippa med utklämd mjölkig kärna och näbbmärken efter sparvar *(Passer domesticus)*.
C-D Korn- och veteax förstörda av sparvar.
E Unga kornplantor avbitna av sparvar.
F Åkersnigel *(Agriolimax agrestis)*.
G-H Snigelgnag.

A-B Blade af hundegræs med frostskade.
C Meldug *(Erysiphe graminis)* på blad af agerhejre.
D-E Meldrøjer *(Claviceps purpurea)* på almindelig rajgræs.
F-G Bladpletsyge *(Mastigosporium sp.)* på timothé.
H-I Skedesvamp *(Epichloë typhina)* på hundegræs.

A-B Frost injury on leaves of cocksfoot.
C Mildew *(Erysiphe graminis)* on brome grass.
D-E Ergot *(Claviceps purpurea)* on ryegrass.
F-G Leaf Fleck *(Mastigosporium sp.)* on timothy.
H-I Choke *(Epichloe typhina)* on cocksfoot.

A-B Blad av hundäxing med frostskada
C Mjöldagg *(Erysiphe graminis)* på blad av renlosta.
D-E Mjöldrygor *(Claviceps purpurea)* på eng. rajgräs.
F-G Ögonfläcksjuka *(Mastigosporium sp.)* på timotej.
H-I Kolvsjuka *(Epichloe typhina)* på hundäxing.

A
B
C
D
E
F
G
H
I

F
H
G
A
B
C
D
E

A Hundegræsbakteriose *(Corynebacterium rathayi)*, se også fig. H.
B-C Draphavrebrand *(Ustilago perennans)*.
D Dusk af timothé med gnav af timothé-fluens larver *(Cleigastra flavipes)*.
E Timothé med angreb på bladene af kornbladbillens larver *(Lema melanopus)*.
F Rodstykke af alm. rajgræs med havreål *(Heterodera major)*.
G Frø af agerhejre angrebet af hejrebrand *(Ustilago bromivora)*.
H Frø af hundegræs med angreb af hundegræsbakteriose, se også fig. A.

A Yellow Slime *(Corynebacterium rathayi)* on cocksfoot, compare fig. H.
B-C Smut *(Ustilago perennans)* in tall oat grass.
D Spike-like panicle of timothy injured by the Timothy fly larvae *(Cleigastra (Amaurosoma) flavipes)*.
E The Leaf beetle larvae *(Lema melanopus)* feeding on the leaves of timothy.
F Root of rye-grass with cysts of the Cereal Root eelworm *(Heterodera major)*.
G Ear Smut *(Ustilago bromivora)* on seeds of corn brome grass.
H Yellow Slime on seeds of cocksfoot, compare fig. A.

A Axbakterios *(Corynebacterium rathayi)* på hundäxing, se även fig. H.
B-C Knylhavresot *(Ustilago perennans)*.
D Ax av timotej med gnag av timotejflugans larver *(Cleigastra flavipes)*.
E Timotej med angrepp på bladen av sädesbladbaggens larver *(Lema melanopus)*.
F Rottråd av engelskt rajgräs med havreål *(Heterodera major)*.
G Frö av renlosta angripet av lostsot *(Ustilago bromivora)*.
H Frö av hundäxing med angrepp av axbakterios, se även fig. A.

A Kronrust *(Puccinia coronata)* på alm. rajgræs.
B Rapgræsrust *(Puccinia poarum)* på eng-rapgræs.
C Brunrust *(Puccinia bromina)* på agerhejre.
D-E Rapgræsrustens skålrust på følfod (E to skålrusthobe set fra undersiden).
F Korsvedblade med to skålrusthobe af kronrust.
G Rødsvingel med ejendommelige galledannelser, forårsaget af en galmygart *(Mayetiola sp.)*.
H Frø af rævehale, set i gennemfaldende lys, øverst sunde, nederst ødelagt af rævehalegalmyggens larve *(Oligotrophus alopecuri)*.

A Crown Rust *(Puccinia coronata)* on ryegrass.
B Meadow Grass Rust *(Puccinia poarum)*.
C Brown Rust *(Puccinia bromina)* on brome grass.
D-E Aecidial stage of Meadow Grass Rust *(Puccinia poarum)* on the leaf of coltsfoot, E showing aecidia from below.
F Common Buckthorn with two aecidia of Crown Rust, compare A.
G Red fescue with galls caused by Gall midge larvae *(Mayetiola sp.)*.
H Seeds of Meadow Foxtail (in transmitted light), above: normal seeds, below: destroyed by the Meadow Foxtail Gall midge larvae *(Oligotrophus (Dasyneura) alopecuri)*.

A Kronrost *(Puccinia coronata)* på eng. rajgräs.
B Prickrost *(Puccinia poarum)* på ängsgröe.
C Brunrost *(Puccinia bromina)* på renlosta.
D-E Skålroststadiet av ängsgröens prickrost på hästhov, (E två skålrosthopar sedda från undersidan).
F Blad av vägtorn med två skålrosthopar av kronrost.
G Rödsvingel med egendomliga gallbildningar orsakade av en gallmyggart *(Mayetiola sp.)*.
H Frö av ängskavle sett i genomfallande ljus, överst friska, nedtill förstörda av ängskavlegallmyggans *(Oligotrophus alopecuri)* larver.

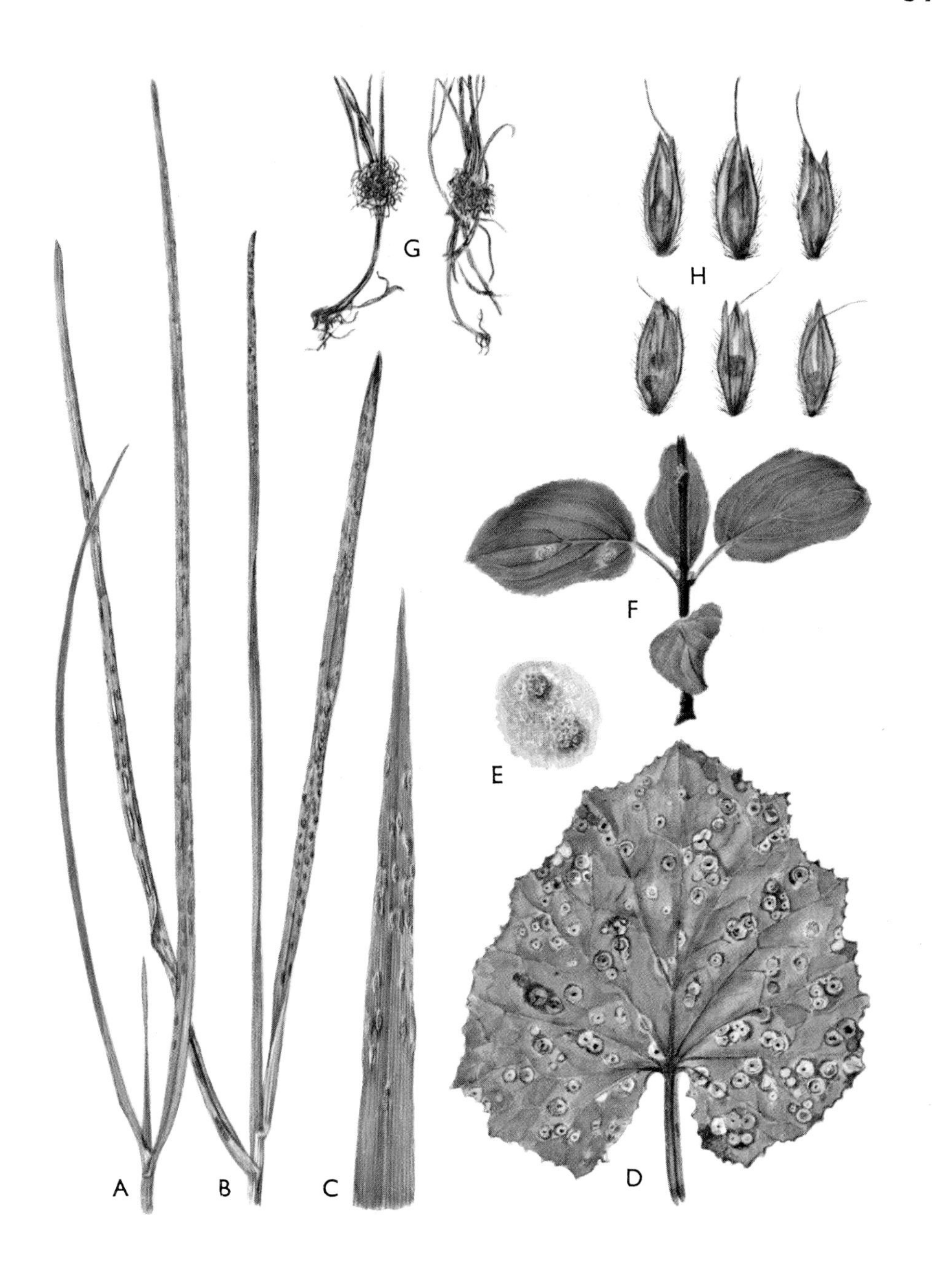
G
H
F
E
D
A
B
C

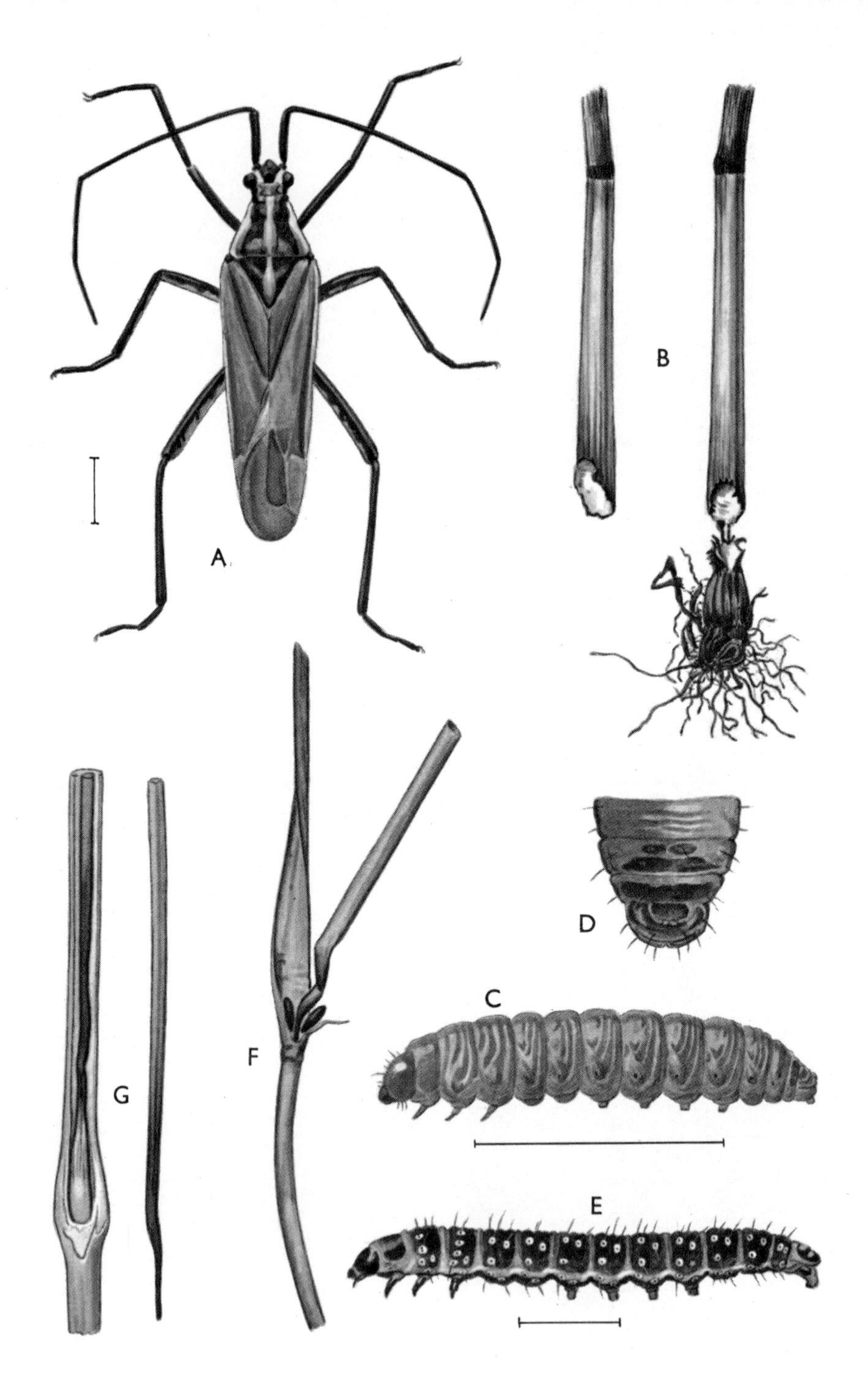
A
B
D
C
F
G
E

A Græstægen *(Miris dolobratus)*.
B-D Frøgræs-uglen *(Apamea testacea)*. B strå af timothé, gnavet over af larven, C larven, D bagende af larven, stærkere forstørret.
E Timotheviklerens larve *(Tortrix paleana)*.
F Den hessiske flue *(Mayetiola destructor)*. Ødelagt strå med pupper under bladskeden.
G Kuglemider *(Pediculopsis graminum)*. Rød svingel, hvis strå er ødelagt over knæet, så toppen visner.

A The Meadow Plant bug *(Miris dolobratus)*.
B-D The Flounced Rustic moth *(Apamea testacea)*. B Straw of timothy destroyed by the larvae. C the larvae. D the hind part of the larvae (enlarged).
E The Timothy Tortrix moth *(Tortrix paleana)*.
F The Hessian fly *(Mayetiola destructor)*, pupae ("flax seeds") between the straw and the sheath.
G Tarsonemid mites *(Pediculopsis graminum)*. Straws of red fescue grass destroyed by the mites.

A Axsugaren *(Miris dolobratus)*.
B-D Gräsrotsflyet *(Apamea testacea)*, B strå av timotej, avgnagt av larven, C larven, D bakända av larven i starkare förstoring.
E Timotejvecklarens larv *(Tortrix paleana)*.
F Kornmyggan *(Mayetiola destructor)*. Skadat strå med puppor under bladslidan.
G Vitaxkvalster *(Pediculopsis graminum)*. Rödsvingel, vars strå är skadat ovan noden, så att toppen vissnar.

A-B Klorose (mosaiksyge) på kløverblade, formentlig forårsaget af virus, sammenlign tavle 34 A.
C Rødkløverblad, brunfarvet af vindslid.
D-G Kløverblade med symptomer på kaliummangel (D hvidkløver, F alsike, E og G rødkløver med henholdsvis begyndende og fremskredne symptomer).

A-B Chlorosis on leaves of clover, possibly due to virus (mosaic), cf. plate 34 A.
C Necrosis on the surface of a clover leaf caused by the wind.
D-G Potassium deficiency symptoms. D white clover, F alsike, E and G red clover, with early and advanced symptoms resp.

A-B Kloros (mosaiksjuka) på klöverblad, sannolikt orsakad av virus, jfr tavla 34 A.
C Rödklöverblad, brunfärgat av vindskada.
D-G Klöverblad med symptom på kalibrist (D vitklöver, F alsikeklöver, E og G rödklöver med resp. begynnande och mer framskridna symptom).

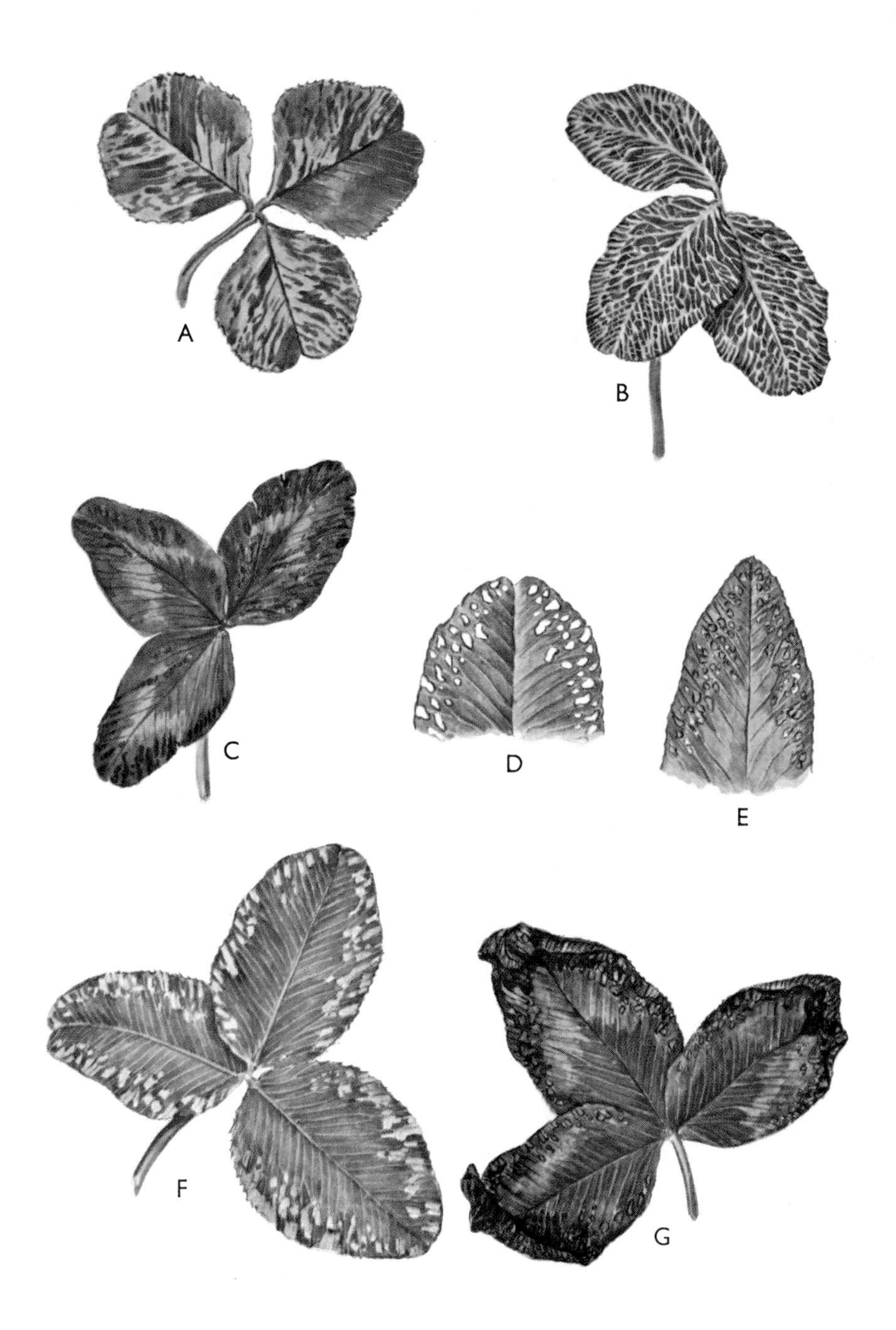
A
B
C
D
E
F
G

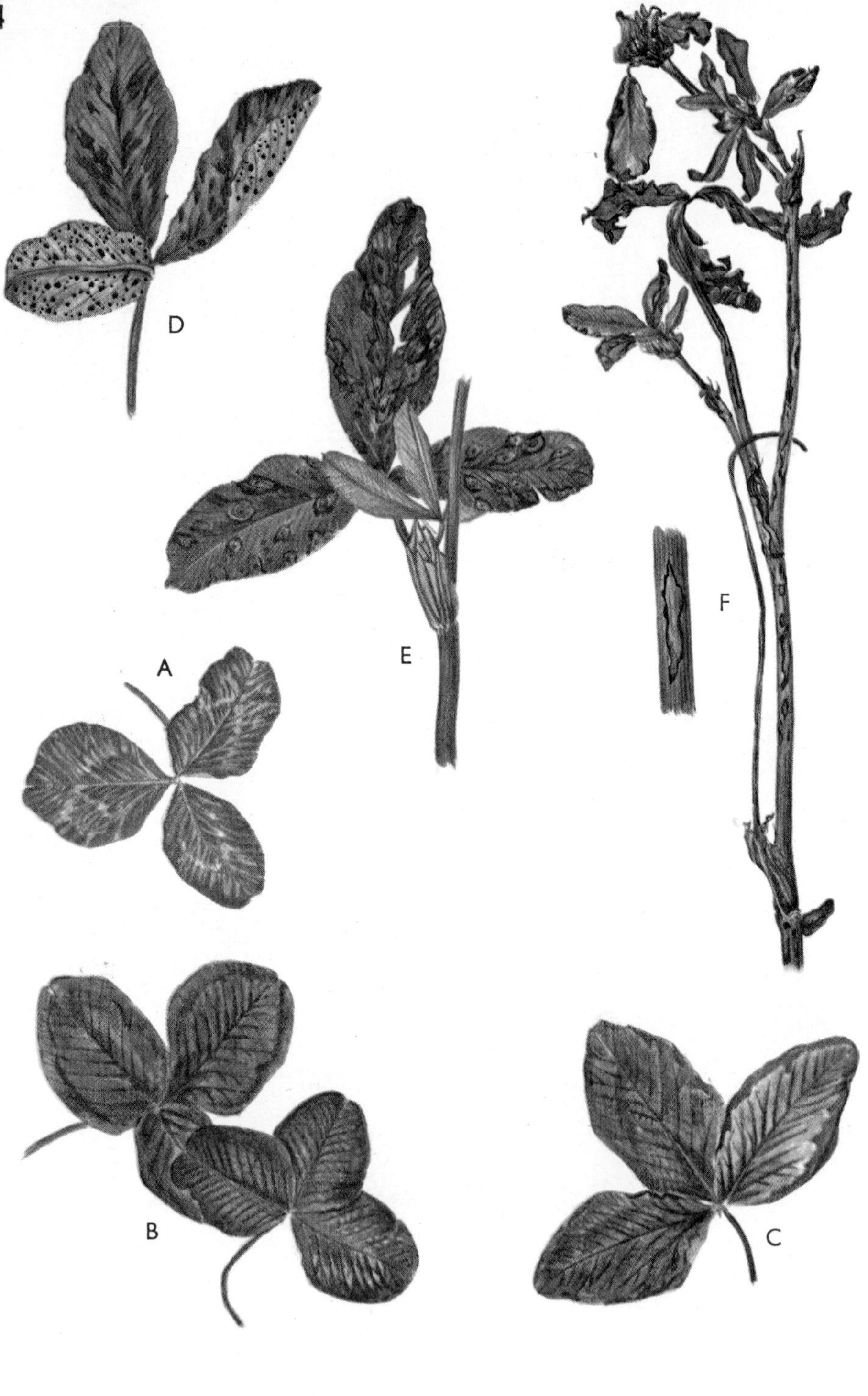

34

D

E

F

A

B

C

A Mosaiksyge, eksperimentelt fremkaldt med virus fra hestebønne.
B-C Magnesiummangel på blade af henholdsvis hvidkløver og rødkløver (delvis efter Wallace).
D Kløverens skorpesvamp *(Dothidella trifolii)* på rødkløver.
E Bladpletsvampen *Stemphylium sarciniforme* på rødkløver.
F Kløverens stængelsvamp *(Gloeosporium caulivorum)* på rødkløver, t.v. en stængelplet forstørret.

A Mosaic disease on red clover, produced experimentally with virus from field bean.
B-C Magnesium Deficiency symptoms on white clover and red clover respectively (partly from Wallace).
D Black Blotch *(Dothidella trifolii)* on red clover.
E Ring Spot *(Stemphylium sarciniforme)* on red clover.
F Schorch *(Gloeosporium caulivorum)* on red clover, a stem spot enlarged.

A Mosaiksjuka, experimentellt framkallad med virus från bondbøna.
B-C Magnesiumsbrist på blad av resp. vitklöver och rödklöver (delvis efter Wallace).
D Skorpsvamp *(Dothidella trifolii)* på rödklöver.
E Bladfläckar på rödklöver förorsakade av *Stemphylium sarciniforme.*
F Klöverbränna *(Gloeosporium caulivorum)* på rödklöver, t.v. en fläck i förstoring.

A Hvidkløverhoved med gennemvoksede og misdannede blomster *(fyllodi, proliferation).*

B Meldug *(Erysiphe polygoni)* på blade af rødkløver.

C-G Kløverens knoldbægersvamp *(Sclerotinia trifoliorum).* C og G dræbte rødkløverplanter med sorte eller hvide hvileknolde *(sklerotier)* på rodhalsen. E hvileknolde sammenlignet med rødkløverfrø, D hvileknolde med bægerfrugter og F bægerfrugter set fra oven.

A Proliferation in white clover, clusters of green leaves appearing on the flower head.

B Mildew *(Erysiphe polygoni)* on leaves of red clover.

C-G Clover Rot *(Sclerotinia trifoliorum).* C and G dead red clover plants with black or white sclerotia on the crowns, E sclerotia in comparison with two red clover seeds, D apothecia emerging from sclerotia, F apothecia seen from above.

A Vitklöverhuvud med genomväxning och missbildade blommor *(fyllodi, proliferation).*

B Mjöldagg *(Erysiphe polygoni)* på blad av rödklöver.

C-G Klöverröta *(Sclerotinia trifoliorum),* C och G dödade rödklöverplantor med svarta eller vita svampknölar *(sklerotier)* på rothalsen. E sklerotier för jämförelse med rödklöverfrö, D sklerotier med fruktkroppar och F fruktkroppar sedda ovanifrån.

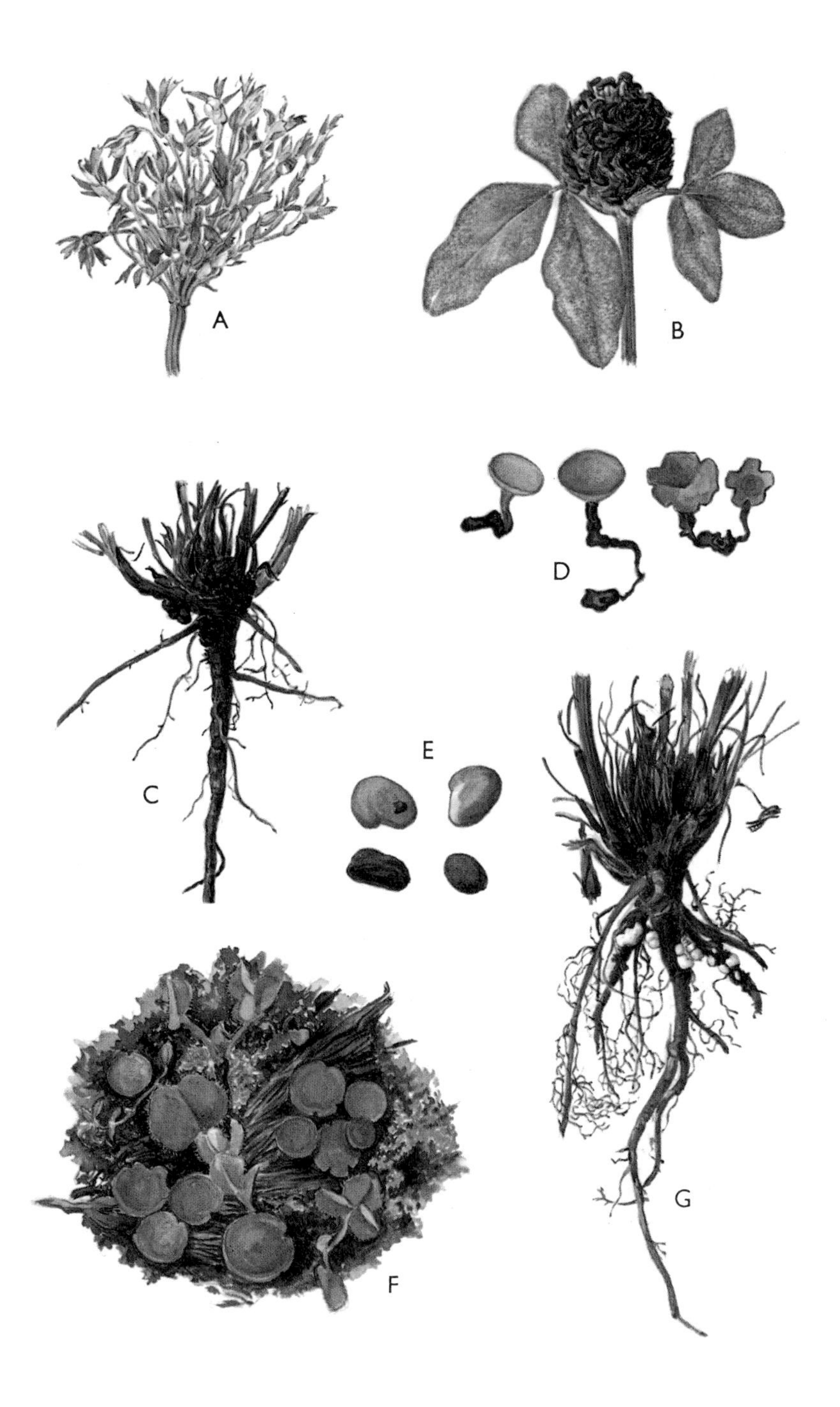
A
B
C
D
E
F
G

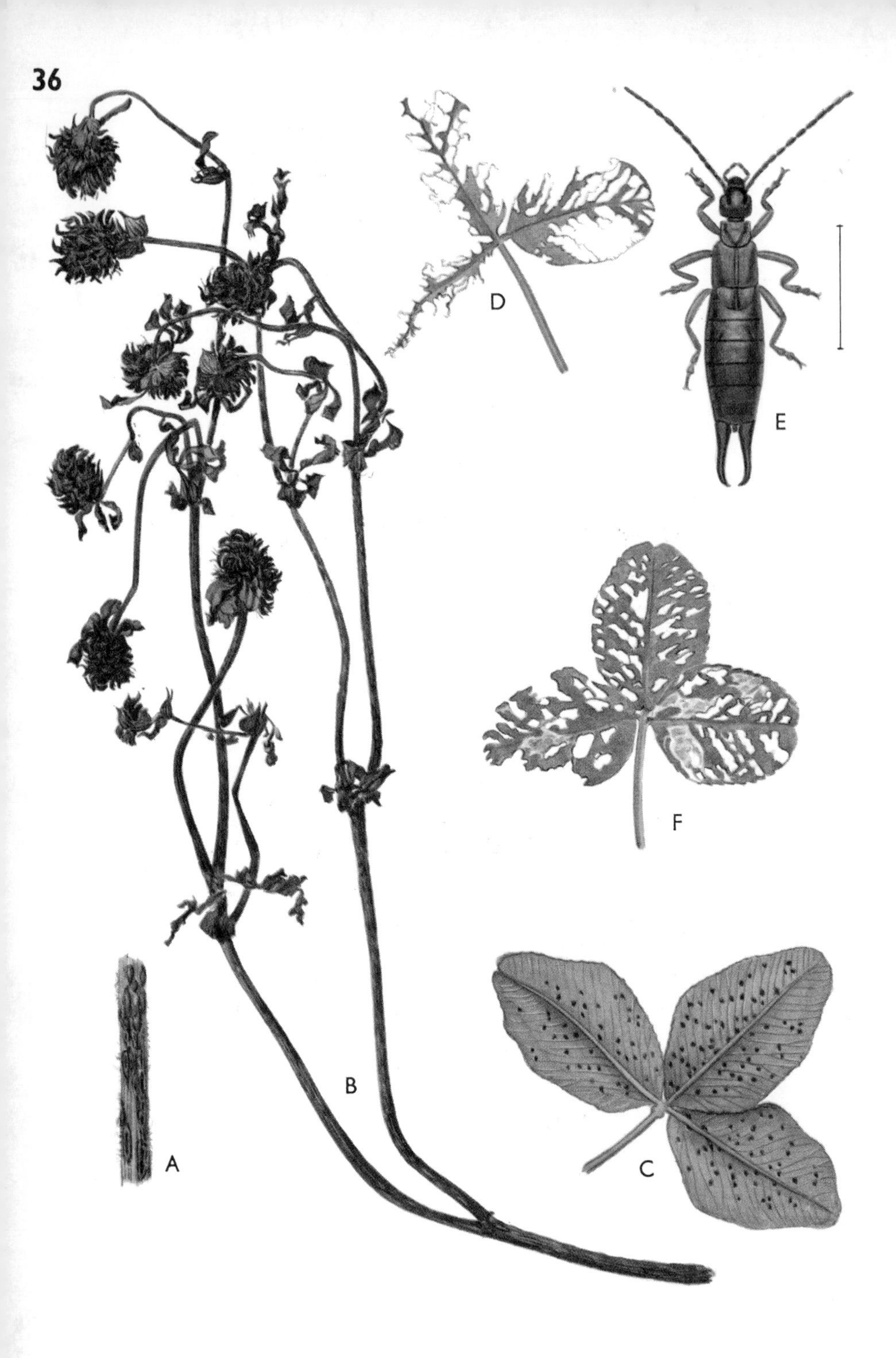
D
E
F
A
B
C

A-C Kløverrust *(Uromyces trifolii)* på rødkløver.
D-E Ørentvist *(Forficula auricularia)* og begnavet kløverblad.
F Kløverblad gnavet af agersnegle *(Agriolimax agrestis).*

A-C Rust *(Uromyces trifolii)* on red clover.
D-E The Common earwig *(Forficula auricularia)* and typical earwig injury on a leaf of clover.
F Leaf tissue stripping off caused by the Grey Field slug *(Agriolimax agrestis).*

A-C Klöverrost *(Uromyces trifolii)* på rödklöver.
D-E Vanlig tvestjärt *(Forficula auricularia)* och gnagda klöverblad.
F Klöverblad gnagda av åkersnigel *(Agriolimax agrestis).*

A-B Rødkløverål *(Ditylenchus dipsaci)* på plante med korte, tykke skud og på frøstængel med opsvulmet skudspids.

C-D Hvidkløverål *(Ditylenchus dipsaci)* har forårsaget misdannede skud på hvidkløver.

A-B Swelling and stunting of red clover plants, caused by the Stem and Bulb eelworm *(Ditylenchus dipsaci)*.

C-D White clover attacked by the Stem and Bulb eelworm.

A-B Klöverål *(Ditylenchus dipsaci)* på planta med korta, tjocka skott och uppsvälld skottspets på blomskaftet.

C-D Klöverål *(Ditylenchus dipsaci)* har förorsaket missbildade skott på vitklöver.

A
D
B
C

B
C
D
A
F
E
G

A Kløversnudebille *(Apion apricans)*.
B-C Angreb af kløversnudebillelarver i rødkløver og hvidkløver.
D Hvidkløverfrø gnavet af hvidkløversnudebillens larver *(Apion flavipes)*.
E Hvidkløverblade med gnav af kløversnudebiller.
F-G Kløvergnaveren *(Phytonomus nigrirostris)* og et skud af rødkløver, som er angrebet af larven.

A Clover Seed weevil *(Apion apricans)*.
B Flower head of red clover, split open and showing the damaged florets, caused by Clover Seed weevil larvae.
C A white clover floret destroyed by the White Clover Seed weevil *(Apion flavipes)*.
D Seeds of white clover gnawed by larvae of the White Clover Seed weevil.
E Leaves of white clover attacked by the White Clover Seed weevil.
F-G The Clover Leaf weevil *(Phytonomus nigrirostris)* and a shoot of red clover destroyed by the larvae.

A Klöverspetsvivel *(Apion apricans)*.
B-C Angrepp av klöverspetsvivellarver i röd- och vitklöver.
D Frö av vitklöver med gnag av klöverspetsvivelns larver *(Apion flavipes)*.
E Blad av vitklöver med gnag av klöverspetsvivlar.
F-G Klöverbladviveln *(Phytonomus nigrirostris)* och ett skott av rödklöver, angripet av larven.

A-B Unge kløverplanter og et kløverblad med gnav af bladrandbillen *(Sitona lineata)*, se også tavle 46, A og B.
C Lucerneblad med symptomer på frostskade (nattefrost).
D Lucerneblad med hvide småpletter, sandsynligvis en følge af rodbeskadigelser.
E-F Kaliummangel-symptomer på lucerneblade, t.h. i begyndende, t.v. i fremskredet stadium.

A-B Young seedlings and an older leaf of red clover damaged by the Pea and Bean weevil *(Sitona lineata)*. See plate 46, A and B.
C Frost injury on a leaf of lucerne.
D White spotted leaf of lucerne, probably due to root damage.
E-F Potassium deficiency symptoms on leaves of lucerne. Early and advanced stage.

A-B Unga klöverplantor och ett klöverblad med gnag av ärtviveln *(Sitona lineata)*, se även plansch 46, A och B.
C Lusernblad med symptom på frostskada (nattfrost).
D Lusernblad med vita småfläckar, sannolikt en följd av rotskador.
E-F Kalibrist-symptom på lusernblad, t.h. i begynnande, t.v. på mer framskridet stadium.

A
B
C
D
E
F

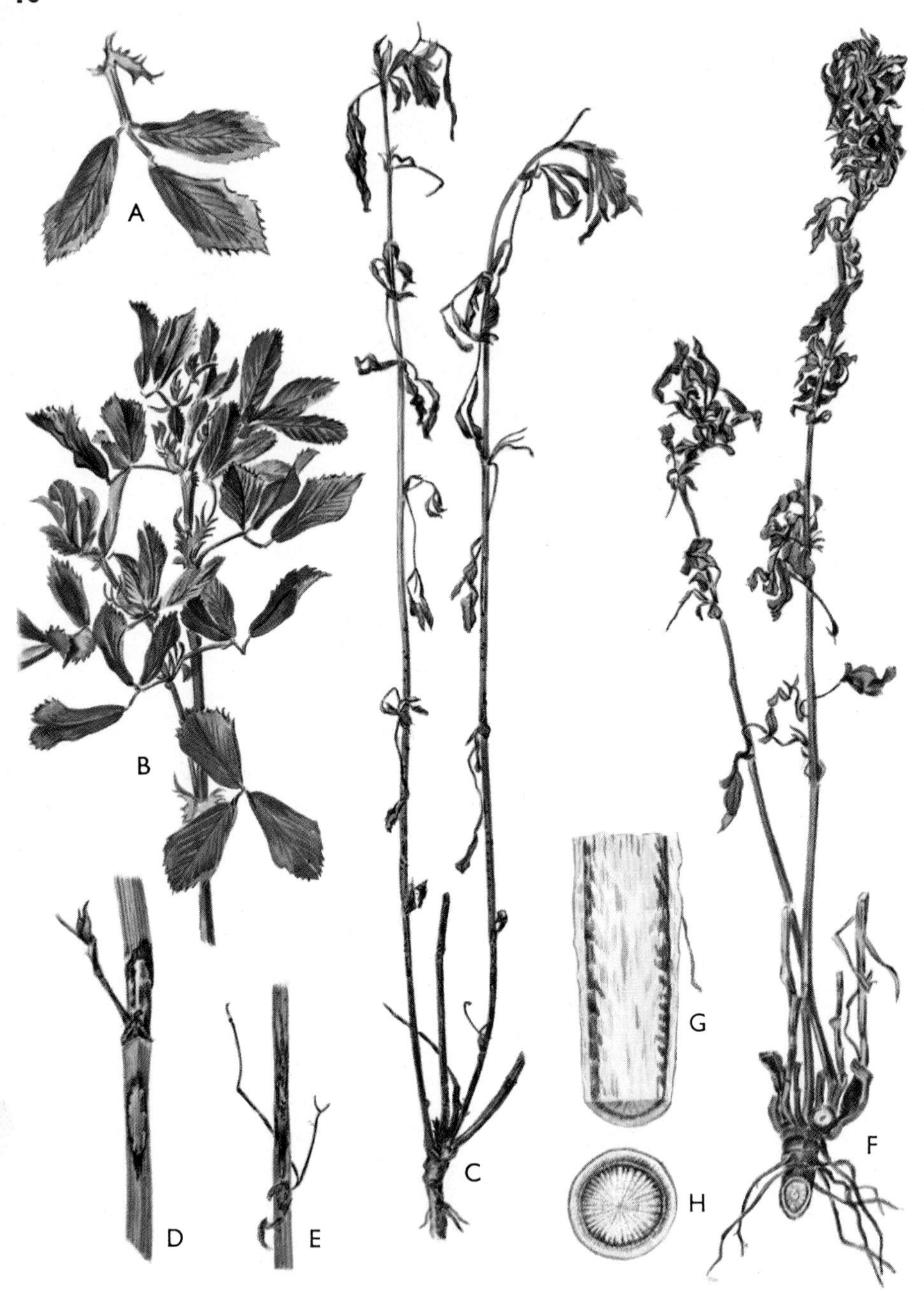
A
B
C
D
E
F
G
H

A-B Lucerne med symptomer på bormangel.

C-E Lucerne angrebet af stængelpletsvampen *Colletotrichum trifolii*, D og E viser stængelpletter forstørret.

F-H Lucerne angrebet af kransskimmel *(Verticillium albo-atrum)*, G og H viser det brunfarvede væv omkring karstrengene på henholdsvis længdesnit og tværsnit af roden.

A-B Lucerne with symptoms of Boron Deficiency.

C-E Anthracnose *(Colletotrichum trifolii)* on lucerne, D and E showing stem lesions enlarged.

F-H Verticillium Wilt *(Verticillium albo-atrum)* on lucerne, F showing a wilted stem, G and H showing the brown coloured vascular system in the tap root.

A-B Lusern med borbristsymptom.

C-E Lusern med stjälkfläckar, orsakade av *Colletotrichum trifolii*, D och E visar fläckar i förstoring.

F-H Lusern angripen av kransmögel *(Verticillium albo-atrum)*, G och H visar brunfärgningen omkring kärlsträngarna på resp. längdsnitt och tvärsnitt av roten.

A-B Lucerneblade med pletter af sneglebælgens stængelsvamp *(Ascochyta imperfecta)*.

C-D Kløverskimmel *(Peronospora trifoliorum)* på lucerne, D et småblad, der viser svampens violetgrå skimmelpels på undersiden.

E Sneglebælgplante (set fra undersiden) dræbt af kløverens knoldbægersvamp *(Sclerotinia trifoliorum)*. Bemærk de hvidlige og sorte sklerotier, enkelte af de små, kuglerunde sklerotier stammer fra kløverens trådkølle *(Typhula trifolii)*.

F-G Lucernens skivesvamp *(Pseudopeziza medicaginis)* på lucerne, t.v. begyndende angreb på småblad, t.h. ældre, visnende blad.

H Blomster af kællingetand, galleformet opsvulmede efter angreb af kællingetandgalmyggens larver *(Contarinia loti)*.

A-B Leaves of lucerne with spots caused by the Black Stem fungus *Ascochyta imperfecta*.

C-D Downy Mildew *(Peronospora trifoliorum)* on lucerne, D showing the under-surface of a leaflet with the violetgrey weft of the fungus.

E Trefoil (seen from below) destroyed by Clover Rot *(Sclerotinia trifoliorum)*. Among the whitish and black irregular and large *Sclerotinia* sclerotia some smaller and spherical sclerotia belonging to the fungus *Typhula trifolii*.

F-G Leaf Spot *(Pseudopeziza medicaginis)* on leaves of lucerne. Early attack on leaflets and older, withering leaf resp.

H Flowers of *Lotus corniculatus* deformed to swollen galls by Gall midge larvae *(Contarinia loti)*.

A-B Lusernblad med fläckar av humlelusernens fläcksjuka *(Ascochyta imperfecta)*.

C-D Klöverbladmögel *(Peronospora trifoliorum)* på lusern, D ett småblad visande svampens violettgrå mögelpäls på undersidan.

E Humlelusernplanta (från undersidan) dödad av klöverröta *(Sclerotinia trifoliorum)*. Observera de vitaktiga och svarta sklerotierna; några av de små klotrunda sklerotierna härstammar från klöverns trådklubba *(Typhula trifolii)*.

F-G Skivsvamp *(Pseudopeziza medicaginis)* på lusern, t.v. begynnande angrepp på småblad, t.h. äldre, vissnande blad.

H Blommor av käringtand, gallformigt uppsvällda efter angrepp av käringtandgallmyggans *(Contarinia loti)* larver.

A
B
D
H
C
E
G
F

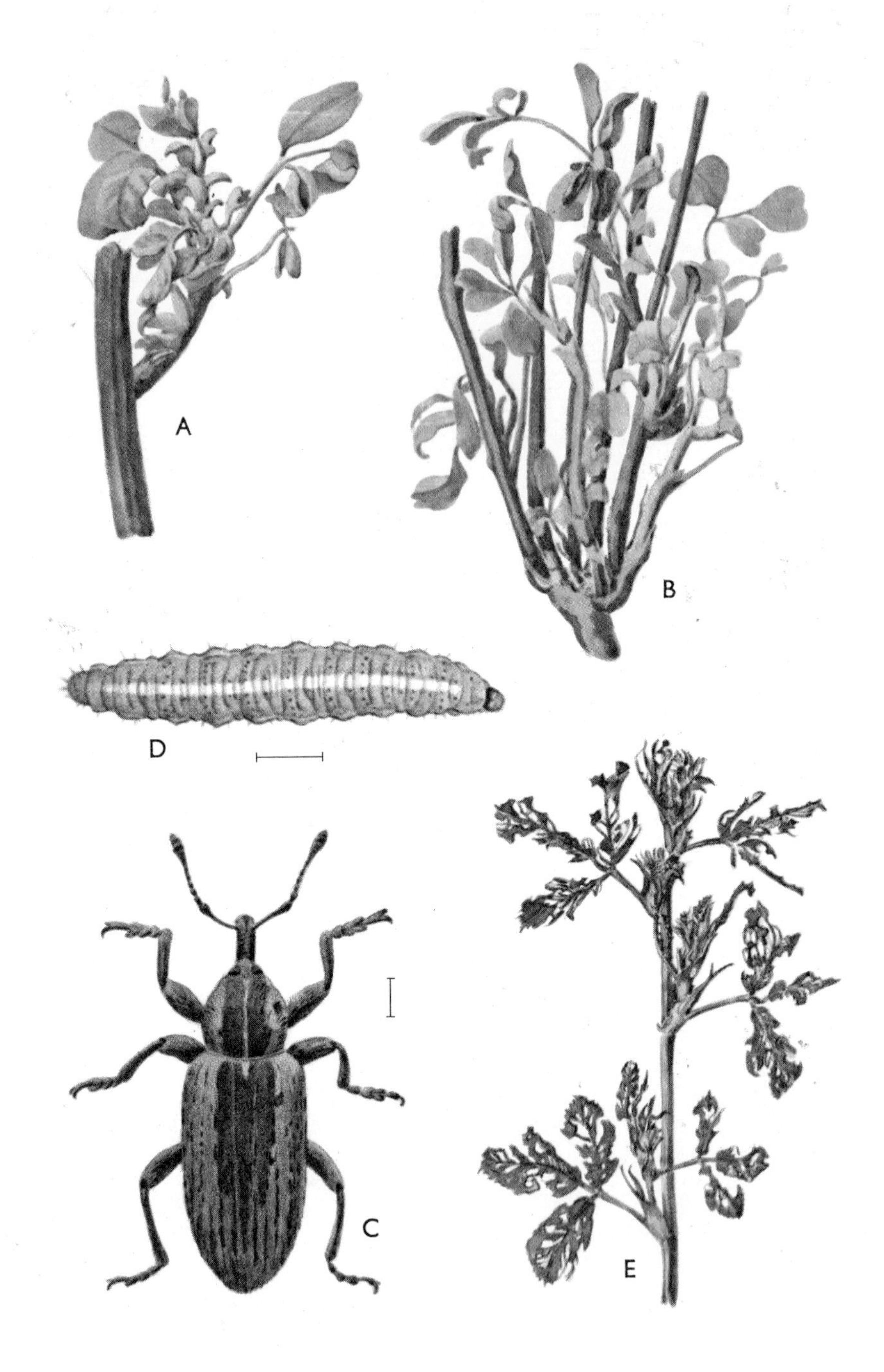
A
B
D
C
E

A-B Lucerne med angreb af lucerneål *(Ditylenchus dipsaci).*

C-E Lucernegnaveren *(Phytonomus variabilis)*, bille, larve og lucerneplante med gnav.

A-B The Stem and Bulb eelworm *(Ditylenchus dipsaci)* giving rise to swelling and stunting of the shoots of lucerne.

C-E Lucerne Leaf weevil *(Phytonomus variabilis)*. The weevil, the larva and a plant of lucerne seriously damaged by the feeding larvae.

A-B Lusern med angrepp av stjälkål *(Ditylenchus dipsaci).*

C-E Vickerbladviveln *(Phytonomus variabilis)*, skalbagge, larv och lusernplanta med gnagskador.

A-B Lucerneplanter, hvis rod er gnavet af øresnudebillelarver *(Otiorrhynchus ligustici)*.
C Ærteuglens larve *(Mamestra pisi)*.
D Lucerneblomster misdannet efter angreb af lucerneblomstgalmyggens larver *(Contarinia medicaginis)*.
E Angreb af lucerneblad-galmyggens larver *(Jaapiella medicaginis)* på lucerne.
F-G Blade af sneglebælg angrebet af galmyglarver *(Dasyneura onobrychidis)*.

A-B Roots of lucerne plants attacked and gnawed by the larvae of Root weevils *(Otiorrhynchus ligustici)*.
C The Pea Noctuid moth larva *(Mamestra pisi)*.
D Lucerne flowers deformed by the Lucerne Flower Gall midge larvae *(Contarinia medicaginis)*.
E Leaves of lucerne attacked by the Lucerne Leaf Gall midge larvae *(Jaapiella medicaginis)*.
F-G Leaves of trefoil deformed by Gall midge larvae *(Dasyneura onobrychidis)*.

A-B Lusernplantor med gnagskador på rötterna av öronvivelns larver *(Otiorrhynchus ligustici)*.
C Larv av ärtfly *(Mamestra pisi)*.
D Lusernblommor missbildade efter angrepp av luserngallmyggans larver *(Contarinia medicaginis)*.
E Angrepp av lusernblad-gallmyggans larver *(Jaapiella medicaginis)* på lusern.
F-G Blad av humlelusern angripet av gallmygglarver *(Dasyneura onobrychidis)*.

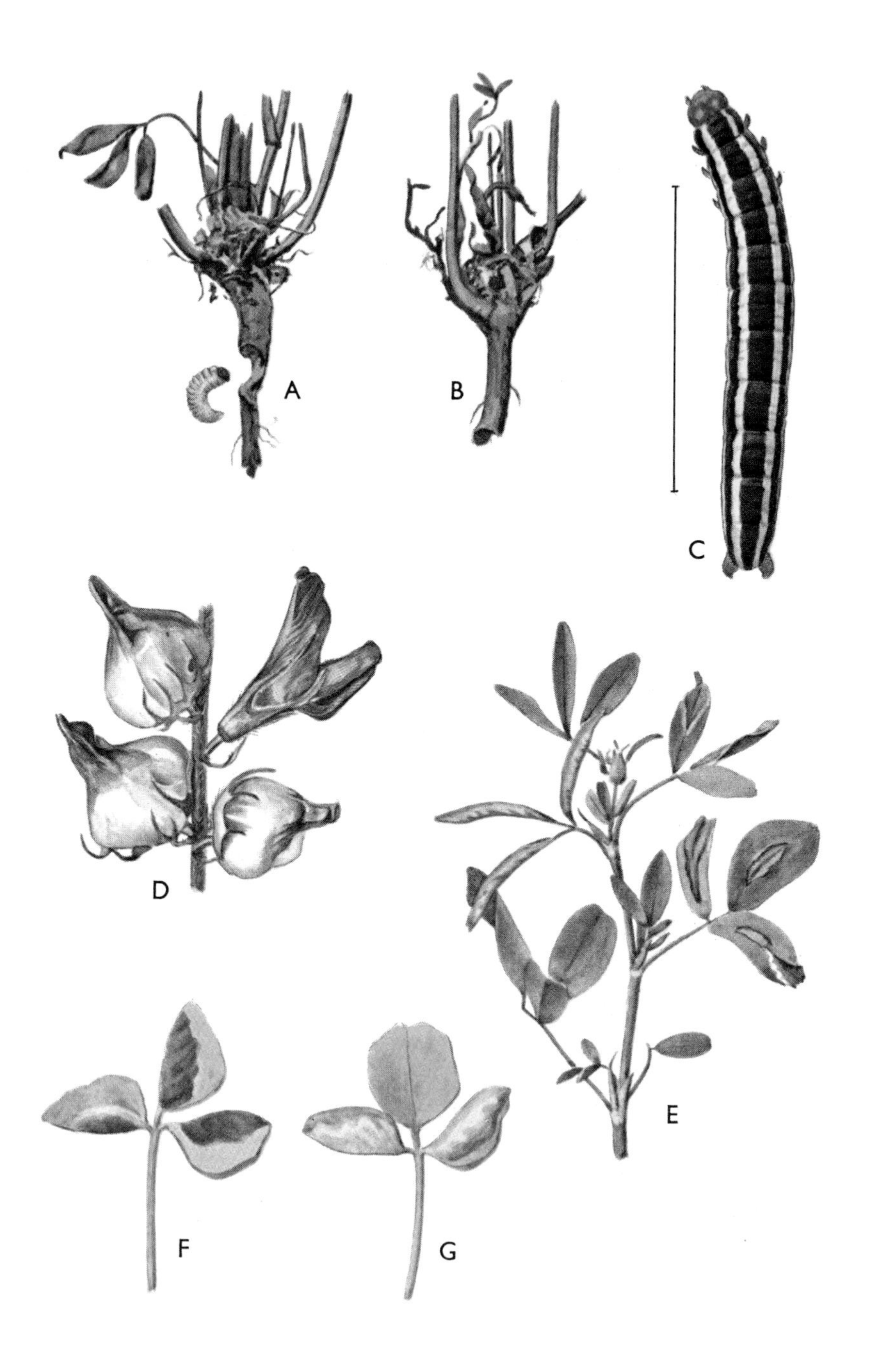
A
B
C
D
E
F
G

A
B
C
D
E
F

A Rodbrandangreb på ærteplante.
B Meldug *(Erysiphe polygoni)* på ærteblade.
C Gråskimmel *(Botrytis cinerea)* i spidsen af ærtebælg.
D-F Ærtesyge *(Ascochyta pisi)* på bælg, blade og stængel af ært.

A Foot Rot (unknown origin) on a pea plant.
B Mildew *(Erysiphe polygoni)* on pea leaves.
C Grey Mould *(Botrytis cinerea)* at the tip of a pea pod.
D-F Leaf and Pod Spot *(Ascochyta pisi)* on pods, leaves and stems of pea.

A Rotbrand på ärtplanta.
B Mjöldagg *(Erysiphe polygoni)* på ärtblad.
C Gråmögel *(Botrytis cinerea)* på spetsen av en ärtbalja.
D-F Ärtfläcksjuka *(Ascochyta pisi)* på balja, blad och stjälk av ärt.

A Angreb af ærterust *(Uromyces pisi)* på akselblade og stængler af ært.
B Skud af cypres-vortemælk *(Euphorbia cyparissias)*, der er værtplante for ærterust.
C Ærtelus *(Macrosiphum pisi)*.
D Ært med angreb af ærtefrøbillens larve *(Bruchus pisorum)*.
E-H Ærtethripsen *(Physopus robustus)* og dens angreb på ærtebælge.

A Rust *(Uromyces pisi)* on stems and leaves of pea.
B *Euphorbia cyparissias*, host for the aecidial stage of the rust *Uromyces pisi*.
C The Pea aphid *(Macrosiphum pisi (Acyrthosiphon pisum))*.
D Pea seed showing attack by the Pea beetle *(Bruchus pisorum)*.
E-H The Pea thrips *(Physopus robustus (Frankliniella robusta))* and three pea pods distorted and showing silvery discoloration after attacks of the thrips.

A Ärtrost *(Uromyces pisi)* på stjälkar och blad av ärt.
B Skott av vårtörel *(Euphorbia cyparissias)*, som är värdväxt för ärtrost.
C Ärtbladlus *(Macrosiphum pisi)*.
D Ärta med angrepp av ärtsmygens larv *(Bruchus pisorum)*.
E-H Ärttripsen *(Physopus robustus)* och dess angrepp på ärtbaljor.

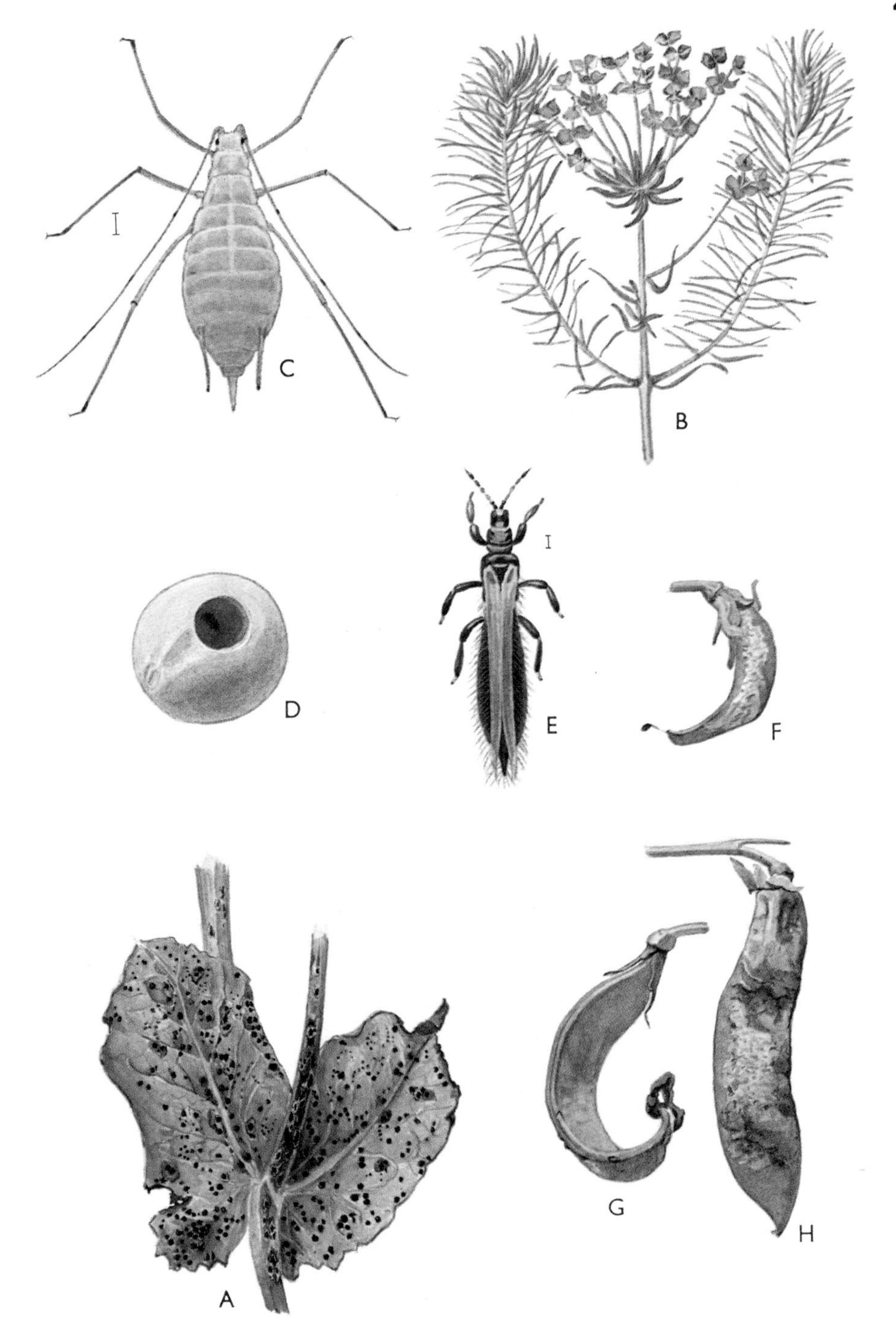
C
B
D
E
F
G
H
A

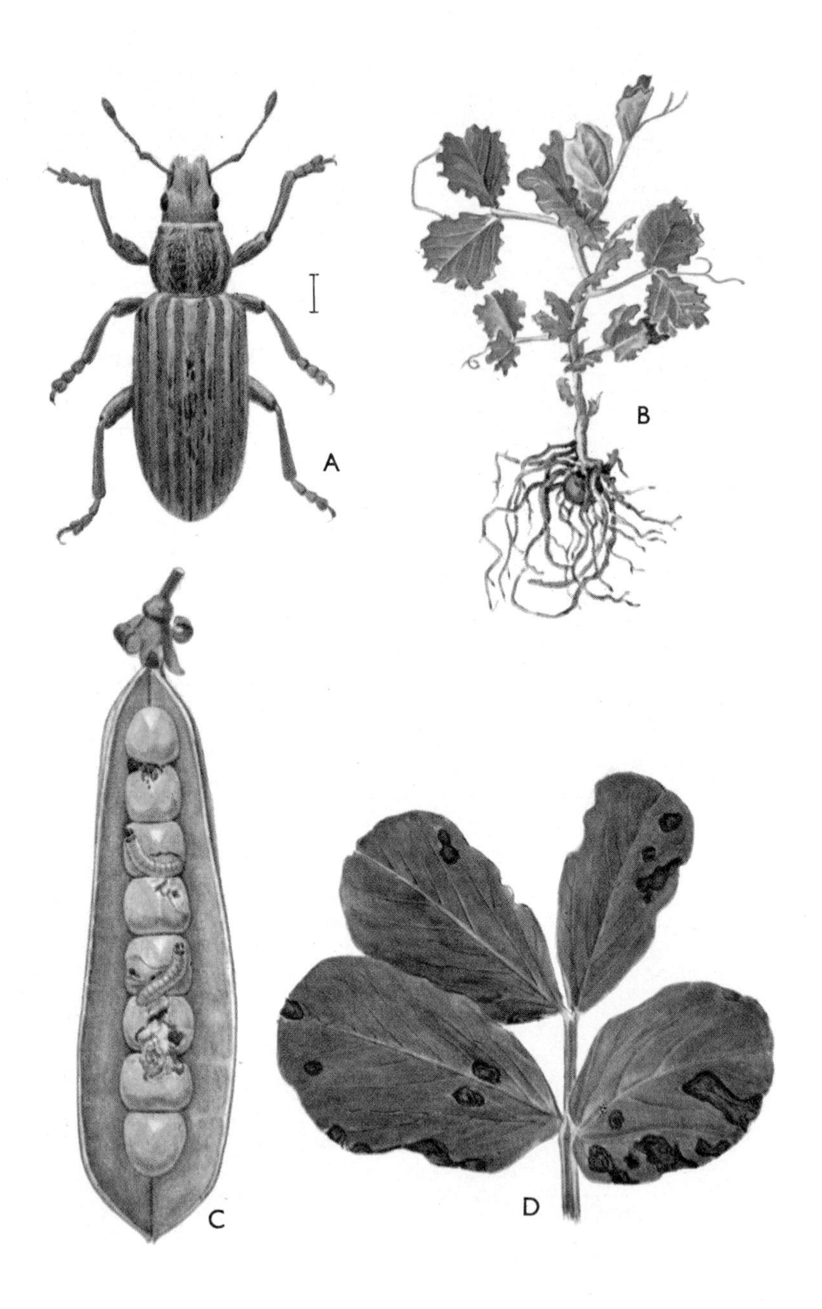
A
B
C
D

A Den stribede bladrandbille *(Sitona lineata).*
B Bladrandbillens gnav på bladene af en ung ærteplante.
C Ærtebælg med angreb af ærteviklerens larve *(Grapholitha nigricana).*
D Blad af hestebønne med pletter af svampen *Stagonosporopsis hortensis.*

A The Pea and Bean weevil *(Sitona lineata).*
B Half-circular notches on the edge of pea leaves, typical feeding habits of the Pea and Bean weevil.
C The Pea moth larvae *(Grapholitha nigricana)* eating the seeds in a pea pod.
D Leaf of Field bean showing leaf spots caused by the fungus *Stagonosporopsis hortensis.*

A Randiga ärtviveln *(Sitona lineata).*
B Gnag av ärtvivel på blad av ung ärtplanta.
C Ärtskida med angrepp av ärtvecklarens larv *(Grapholitha nigricana).*
D Blad av bondböna med fläckar av svampen *Stagonosporopsis hortensis.*

A Lupinplante med angreb af gråskimmel *(Botrytis cinerea)* på stængelen.

B-E Angreb af lupinens brunpletsyge *(Ceratophorum setosum)* på blad, stængel og bælge af lupin.

F Frø af hvid lupin, t. v. sundt, t. h. to syge frø, som er ødelagt af regn og fugt under modning og vejring.

A Grey Mould *(Botrytis cinerea)* on the stem of lupin.

B-E Attacks by *Ceratophorum setosum* on leaf, stem and pods of lupin.

F Seeds of white lupin, to the left healthy, to the right two seeds destroyed before harwest by rain and moisture.

A Lupinplanta med angrepp av gråmögel *(Botrytis cinerea)* på stjälken.

B-E Angrepp av lupinens brunfläcksjuka *(Ceratophorum setosum)* på blad, stjälk och balja av lupin.

F Frö av vitlupin, t. v. friskt, t. h. två sjuka frön, som skadats av regn och fuktighet under mognaden.

D
E
F
C
A
B

D
E
F
G
A
B
C

A Rodbrandangreb på blå lupin.
B Mosaiksyge på hestebønne.
C Bedelus *(Aphis fabae)* på skud af hestebønne.
D-E Lupinblade misdannet som følge af angreb af bedelus *(Aphis fabae)*.
F-G Lupinplanter med angreb af lupinfluens larver *(Chortophila trichodactyla)*.

A Root Rot on blue lupin.
B Mosaic of field bean.
C The Black Bean aphid *(Aphis fabae)* on field bean.
D-E Leaves of lupin deformed by the Black Bean aphid attack.
F-G Injury to young lupin plants by the Lupin Seed fly larvae *(Chortophila trichodactyla)*.

A Rotbrand på blålupin.
B Mosaiksjuka på bondböna.
C Betlus *(Aphis fabae)* på skott av bondböna.
D-E Lupinblad missbildade på grund av angrepp av betlus *(Aphis fabae)*.
F-G Lupinplanta med angrepp av bönstjälkflugans larver *(Chortophila trichodactyla)*.

A-B Kaliummangelsymptomer på runkelroeblade i henholdsvis begyndende og fremskredet stadium.

C Bladstilk af runkelroe med gullig farve og brune streger som følge af kaliummangel.

D-E Kvælstofmangel i runkelroeblade, D er et tidligt visnet yderblad.

F-G Magnesiummangel på sukkerroeblade, på G er manglen fremskredet, og sekundært angreb af sortskimmel *(Alternaria)* har indfundet sig som bladpletter.

H Runkelroeblad fra forsøg med stærk gødskning med kalksalpeter.

A-B Potassium Deficiency in mangold, early and advanced symptoms respectively.

C Leaf stalk of mangold showing yellow colour and brown streaks as a result of potassium deficiency.

D-E Nitrogen Deficiency in leaves of mangold, D is a prematurely withered outer leaf.

F-G Magnesium Deficiency in sugar beets, G advanced stage with secondary attack by *Alternaria sp.*

H Leaf of mangold from plots fertilized with calcium nitrate; corresponding plots with sodium nitrate were normal.

A-B Kalibristsymptom på betblad vid resp. begynnande och mera framskridet stadium.

C Bladskaft av beta med gulaktig färg och bruna strimor till följd av kalibrist.

D-E Kvävebrist hos betblad, D är ett tidigt vissnat ytterblad.

F-G Magnesiumbrist på betblad, på G har bristen ytterligare förstärkts och som sekundärsymptom har *Alternaria*-fläckar börjat framträda.

H Betblad från försök med stor giva av kalksalpeter.

A
B
C
D
E
F
H
G

B
C
D
A

A Bormangel i 1. års bederoe, ytrende sig ved døde, sorte hjerteblade (»hjerteforrådnelse«). Se »tørforrådnelse« på tavle 51.

B-D Bormangelsymptomer på bederoefrøplanter, B et dræbt topskud, C en ødelagt frøstængel, der har skudt nye skud, og D et stængelstykke med brunt dødvæv.

A Boron Deficiency (Heart Rot) in mangold. 1st year root with black heart leaves. Compare deficiency symptoms in the root plate 51.

B-D Boron Deficiency in seed beet plants, B showing a dead shoot tip, C a damaged seed stem with five new shoots and D a stem with brown discoloration.

A Hjärtröta hos betor *(förstaårsplanta)*. Borbristen yttrar sig i döda, svartnande hjärtblad. Jfr torröta på plansch 51.

B-D Borbristsymptom på betfröplantor, B dödat toppskott, C ett dödat toppskott, som har skjutit nya skott, D stjälk med brunfärgad, död vävnad.

A-D Bormangelsymptomer (»tørforrådnelse«) på bederoer, A og B tørforrådnede pletter på roens flanker, C og D samme i tværsnit og længdesnit.

E Bormangel i form af stærk tørforrådnelse tværs gennem runkelroe.

A-B Boron Deficiency, "Dryrot", two sides of the same sugar beet.

C-D Sections of the same sugar beet as in A-B.

E Mangold with pronounced boron deficiency.

A-D Borbristsymptom (torröta) på betor, A och B fläckar med torröta i betans ytterzon, C och D samma i tvärsnitt och längdsnitt.

E Borbrist i form av långt framskriden torröta tvärs igenom betan.

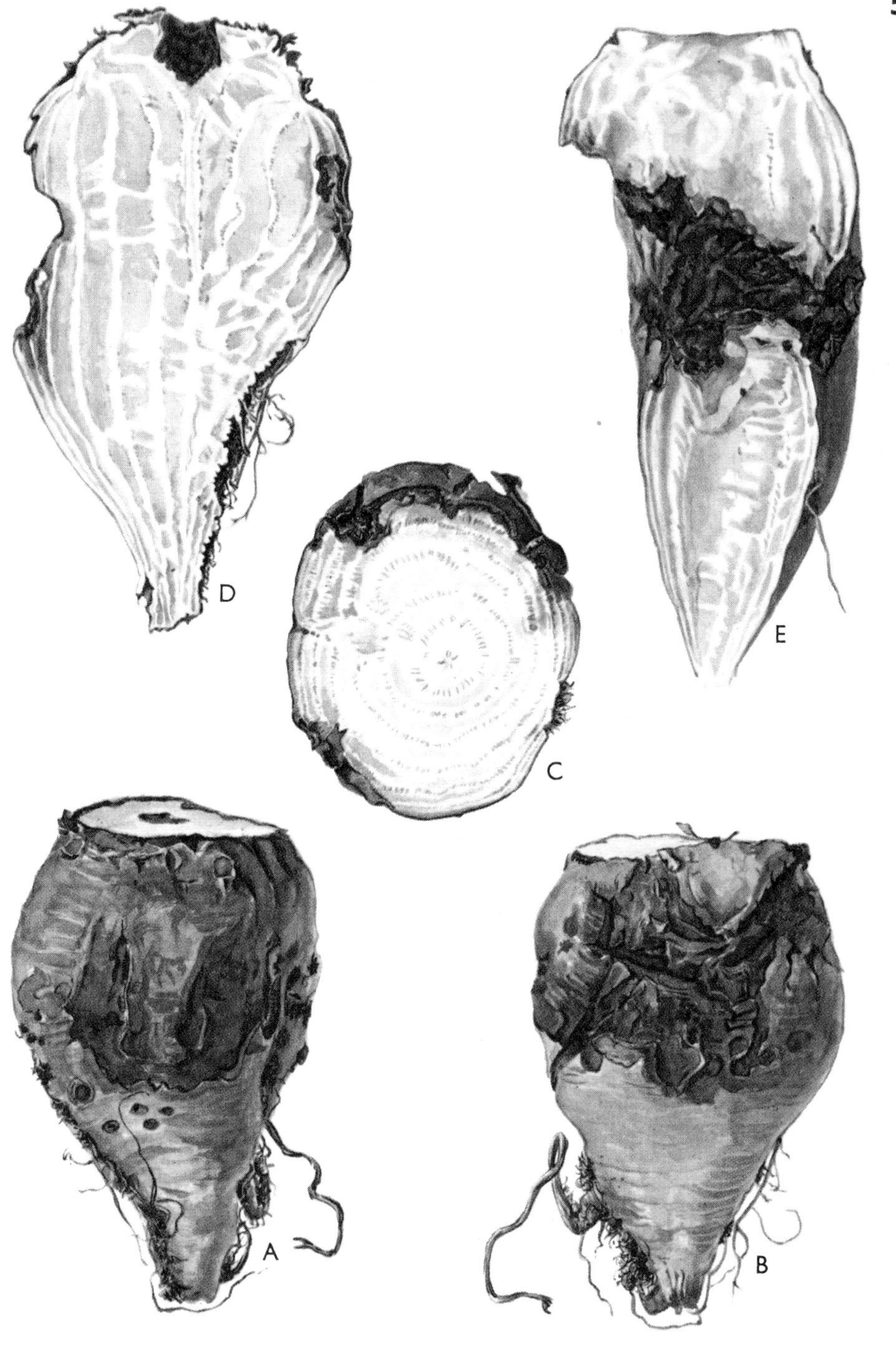
D
E
C
A
B

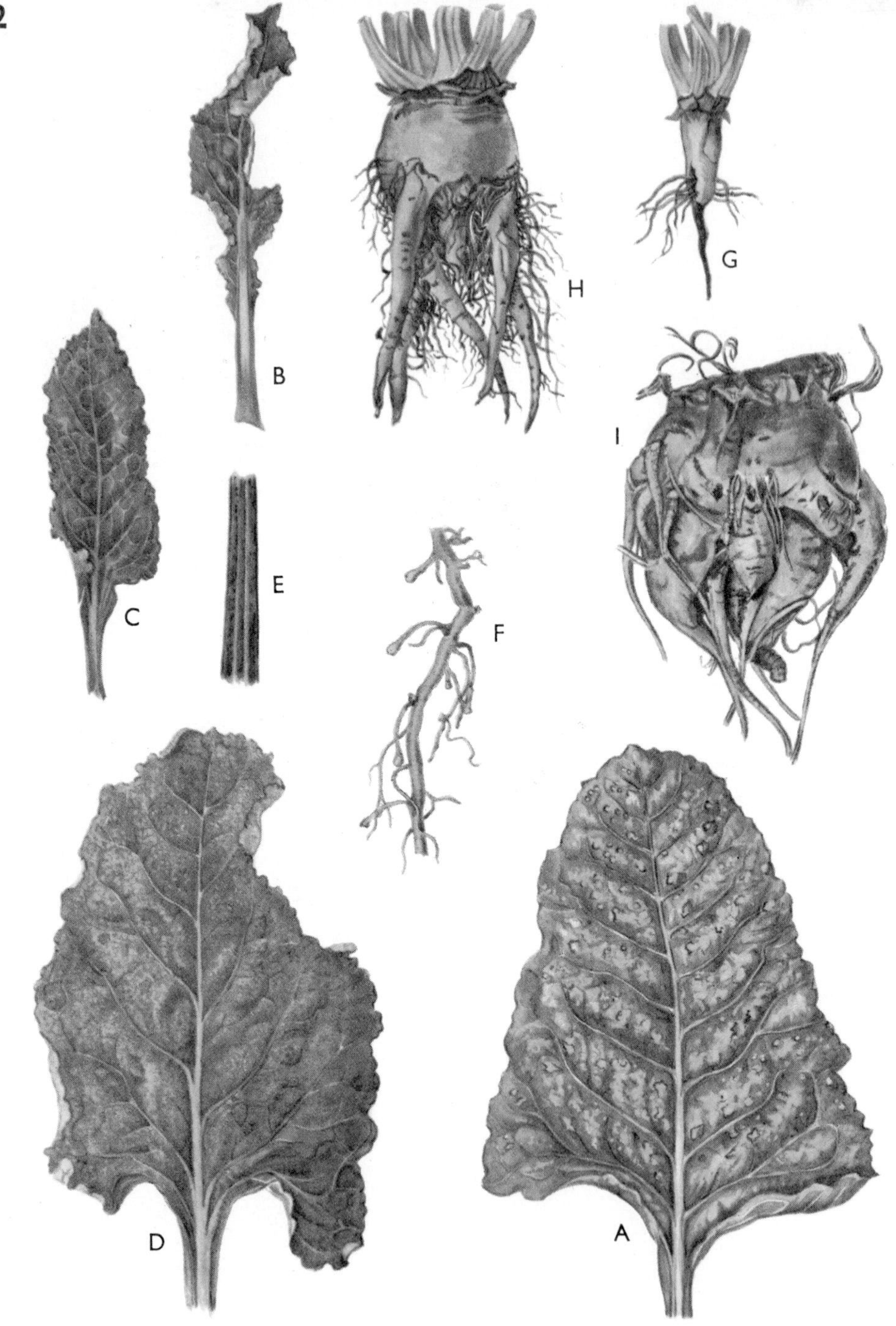
B
H
G
C
E
I
F
D
A

A Manganmangelsymptomer på bederoeblad (sml. tavle 57 E-F).

B-F Klorforgiftningssymptomer på bederoer, B-D gulspættede blade med delvis indrullede bladrande, E brunstribet bladstilk af dræbt, nedvisnet yderblad, F klorforgiftet rodstykke med opsvulmede rodspidser.

G-I Bederoer, som er beskadiget efter bejdsning af frøet med hexaklor, G viser en ung roeplante med ødelagt rodspids, H og I viser den stærke forgrening, som skyldes den oprindelige ødelæggelse af rodspidsen.

A Manganese Deficiency (Speckled Yellows) in mangel, compare symptoms in detail in plate 57 E and F.

B-F Chlorate injury on beetplants, B-D leaves in different stages showing yellow speckled discoloration (somewhat like Beet Mosaic, compare plate 57 E and F) and partly rolled leaf edges, E petiole with necrosis and F root of mangel, rootlets swollen and truncated due to chlorate injury.

G-I Benzene Hexachloride (HCH) injury in beet. Dry seed treatment with excessive amounts caused root-tip injury in seedlings (G) and resulted in branched, "tangy" roots (H-I).

A Manganbristsymptom på betblad (jfr plansch 57 E-F).

B-F Klorförgiftningssymptom på betor, B-D gulfläckiga blad med delvis inrullade bladkanter, E brunstrimmig bladstjälk av dödat, vissnat ytterblad, F klorförgiftad rot med uppsvällda rotspetsar.

G-I Betor, som skadats efter betning av fröet med hexaklor. G visar en ung betplanta med dödad rotspets, H och I visar den starka förgrening, som orsakats av den ursprungliga skadan på rotspetsen.

Frostskadesymptomer på bederoer.

A På ung bederoeplante om foråret.
B På udplantet frøroe.
C-D På ældre blade, bemærk rester af sølvglans, der skyldes løsning af overhuden efter svag frost.
E-G Viser frostbeskadigelser på snit af roelegemer (E er normal). På G ses i det beskadigede væv t.h. tydelige frostspalter, t.v. er en bakterieforrådnelse (med perler af bakterieslim) begyndt.

Frost injury in beet.

A Frost necrosis on leaves of a young plant.
B Mangold seed plant showing frost injury in the leaf tips.
C-D Frost injury on older beet leaves, the epidermis has partly been loosened and become silvery.
E-G Frost injury in beet roots, E shows a corresponding normal root, in F severe frost injury in sugar beet (frozen in the clamp), the frozen tissue showing at right typical frost cracks, at left a bacterial decay beginning.

Frostskador på betor.

A På ung betplanta under våren.
B På utplanterad fröbeta.
C-D På äldre blad; observera rester av silverglans, som beror på att överhuden lossnar efter svag frost.
E-G Visar frostskador på snitt av betor (E är normal). På G syns i den skadade växtvävnaden t.h. tydliga frostsprickor, t.v. har en bakterieröta (med pärlor av bakterieslem) börjat.

A
B
C
E
F
D
G

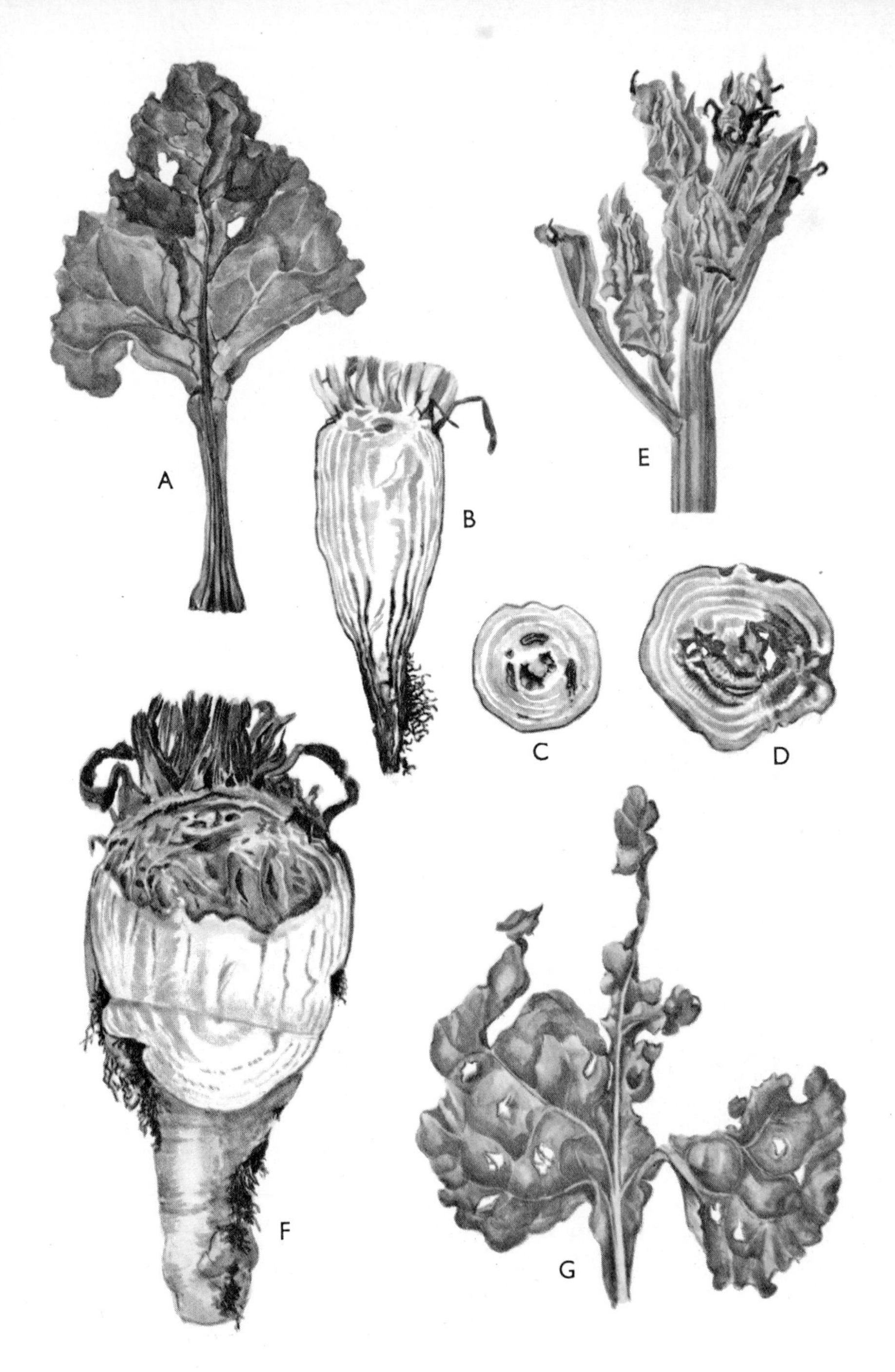
A
B
C
D
E
F
G

A-D Lynskade på bederoer, A et lynramt blad med skade fra bladspids til bladfod, B længdesnit af en lynskadet roe med dræbt rodspids, C og D tværsnit af roer, der viser ringformede sprængninger og spaltninger parallelt med karstrengene.

E Frostskade i skudspidserne af en bederoefrøplante. (Kan ligne bormangel, se tavle 50, B og C).

F Frostskade i den øvre ende af en frøroe under overvintring på blivestedet.

G Haglskade på bederoeblad.

A-D Lightning injury in sugar beet, A in a leaf with scorch symptoms from leaf-tip to base of the leaf-stalk, B longitudinal cracks and C-D concentric cracks in sections of roots.

E Frost injury in the shoot-tips of sugar beet seed plant. May resemble boron deficiency, see pl. 50, B-C.

F Frost injury in the upper part of a seed beet growing in the field during winter.

G Sugar beet leaf damaged by hail.

A-D Blixtskador på betor, A ett av blixtnedslag träffat blad med skada från bladspets till bladbas, B längdsnitt av blixtskadad beta med dödad rotspets, C och D tvärsnitt av betor, som visar ringformiga sprängningar och sprickor parallellt med kärlsträngarna.

E Frostskada i skottspetsarna av en betplanta. (Kan påminna om borbrist, se plansch 50, B och C).

F Frostskada i övre ändan av fröbeta under övervintringen.

G Hagelskada på betblad.

Virus-gulsot *(Beta virus 4)* **på bederoe** (se også tavle 56 A-B og tavle 57 C-D).

A Blad med typisk gulfarvning i bladspids og mellem sideribberne.
B Blad med spættet type af virus-gulsot.
C Blad med svag gulfarvning i spidsen og med enkelte mørke pletter forårsaget af sortskimmelsvampe (*Alternaria* o.a.)
D Blad af krydsning mellem strandbede og sukkerroe med angreb af virus-gulsot.

Virus-Yellows *(Beta virus 4)* **in beet** (compare plate 56 A-B and plate 57 C-D).

A Virus Yellows in beet *(Beta virus 4)*, common symptom.
B Virus Yellows in beet, speckled type.
C Virus Yellows, slight apical discoloration and a few fungus spots (Black Mould), caused by *Alternaria spp., Cladosporium* etc.
D Virus Yellows in the leaf of a beet hybrid *(Beta maritima* × sugar beet).

Virus-gulsot *(Beta virus 4)* **på betor** (se även plansch 56 A-B och plansch 57 C-D).

A Blad med typisk gulfärgning i bladspetsen och mellan sidonerverna.
B Blad med en småfläckig form av virus-gulsot.
C Blad med svag gulfärgning i spetsen och med enstaka mörka fläckar förorsakade av sotdaggsvampar *(Alternaria* m.fl.*)*.
D Blad hos korsning mellan strandbeta och sockerbeta med angrepp av virus-gulsot.

B
A
D
C

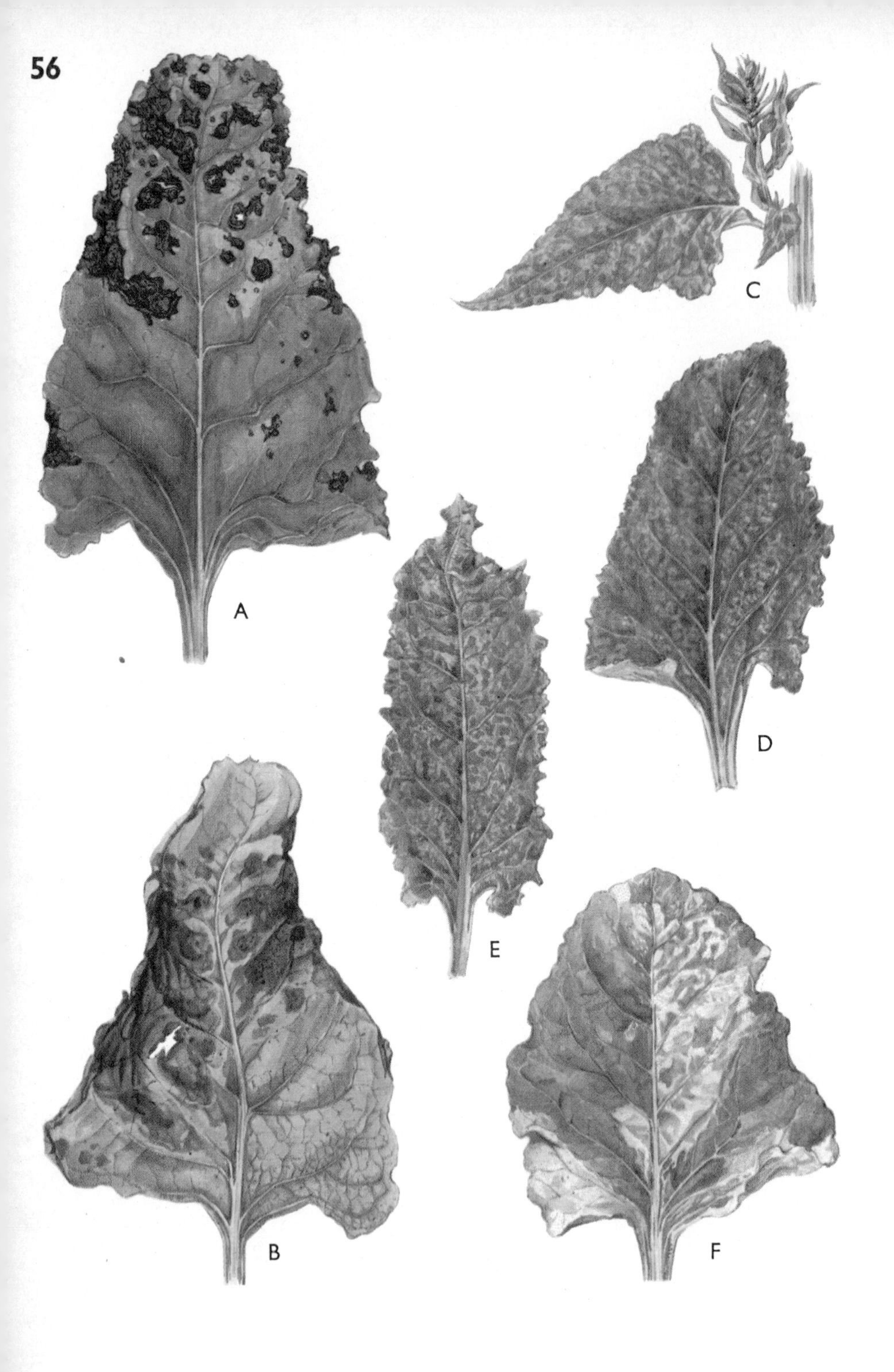
C
A
D
E
B
F

A Runkelroeblad med virus-gulsot *(Beta virus 4)*, svag misfarvning og talrige svampepletter *(Alternaria sp.* og *Phoma betae).*

B Sukkerroeblad med virus-gulsot, næsten helt gulfarvet og halvt ødelagt af sortskimmel *(Alternaria* o. lign.).

C-E Mosaiksyge *(Beta virus 2)* på bederoeblade.

F Blad af brogetbladet bederoe (albinotype).

A Virus Yellows *(Beta virus 4)* in mangold leaf, secondarily invaded by Black Mould *(Alternaria spp.)* and *Phoma betae.*

B Virus Yellows in sugar beet leaf, almost wholly yellowed and half killed by Black Mould *(Alternaria spp.).*

C-E Beet Mosaic *(Beta virus 2).*

F Beet leaf with broken colour (albinism caused by mutation).

A Betblad med virusgulsot *(Beta virus 4)*, svag missfärgning och talrika bladfläckar *(Alternaria sp.* och *Phoma betae).*

B Blad av sockerbeta med virusgulsot, nästan helt gulfärgat och till hälften förstört av sotdaggsvampar *(Alternaria* och likn.).

C-E Betmosaik *(Beta virus 2)* på betblad.

F Blad af brokbladig beta *(albinism).*

A-B Mosaiksyge *(Beta virus 2)* på sukkerroe, henholdsvis svag misfarvning langs ribberne af et hjerteblad, og stærk misfarvning af den almindelige, spættede type på et ældre blad.

C-D Virus-gulsot *(Beta virus 4)* på bederoe, henholdsvis begyndende misfarvning på ungt blad og fremskredet gulfarvning på ældre blad.

E-F Manganmangel (lyspletsyge) på sukkerroe, henholdsvis svage og stærkere symptomer på bladene, sml. tavle 52 A.

A-B Beet Mosaic *(Beta virus 2)* in sugar beet, A showing slight discoloration along veins of a heart leaf, B shoving typical mosaic discoloration on older leaf.

C-D Virus Yellows *(Beta virus 4)* in beet leaves, C showing initial discoloration along veins of a young leaf, D typical yellowing on intermediate leaf.

E-F Manganese Deficiency (speckled yellows) in sugar beet, slight and severe symptoms respectively (compare plats 52 A).

A-B Betmosaik *(Beta virus 2)* på sockerbeta, svag missfärgning längs nerverna av ett hjärtblad resp. stark missfärgning av den allmänna, småfläckiga mosaiktypen på ett äldre blad.

C-D Virusgulsot *(Beta virus 4)* på beta, begynnande missfärgning av ungt blad resp. stark gulfärgning av äldre blad.

E-F Manganbrist på sockerbeta, svaga resp. starka symptom på bladen, jfr. plansch 52 A.

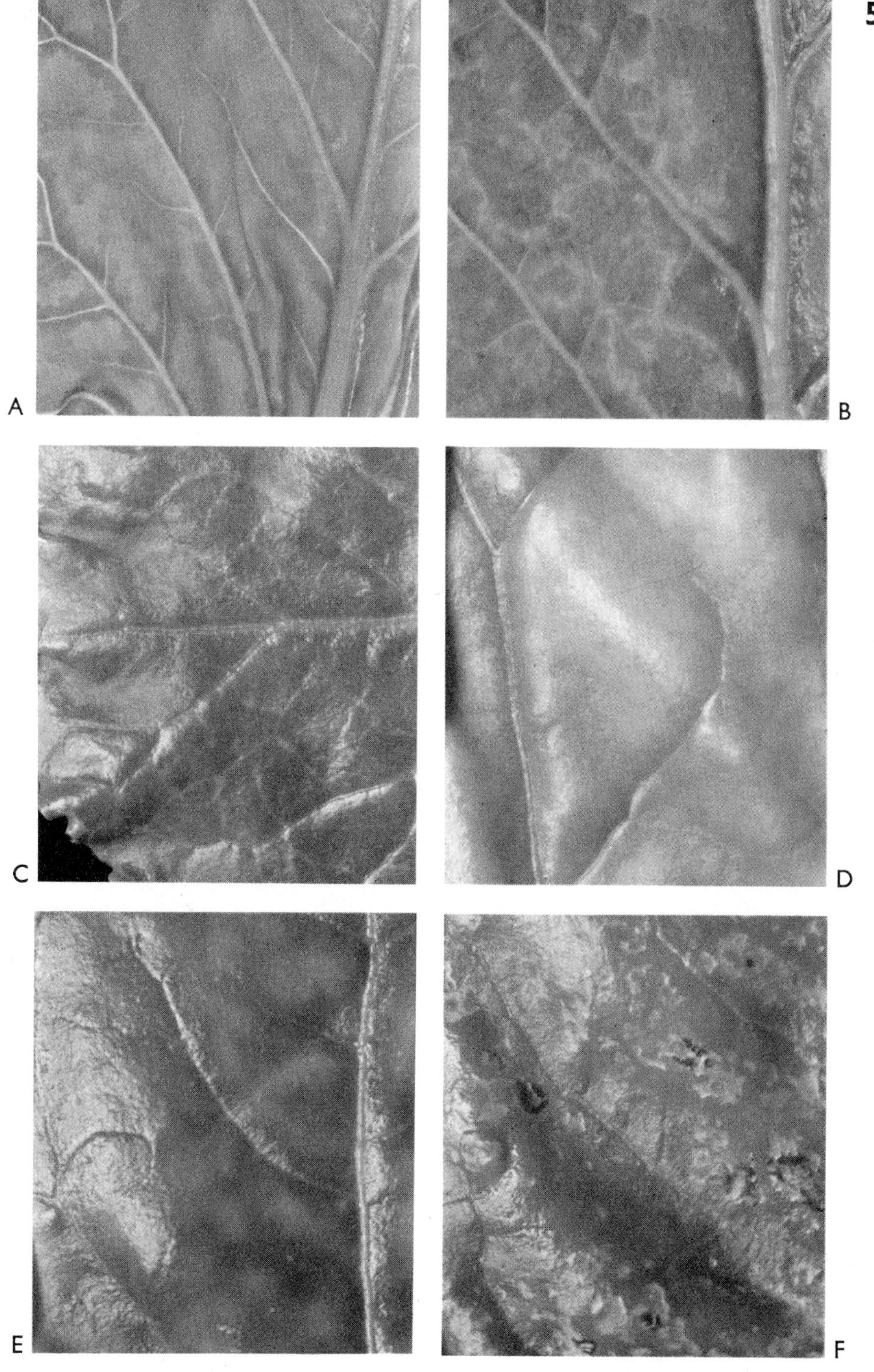
A
B
C
D
E
F

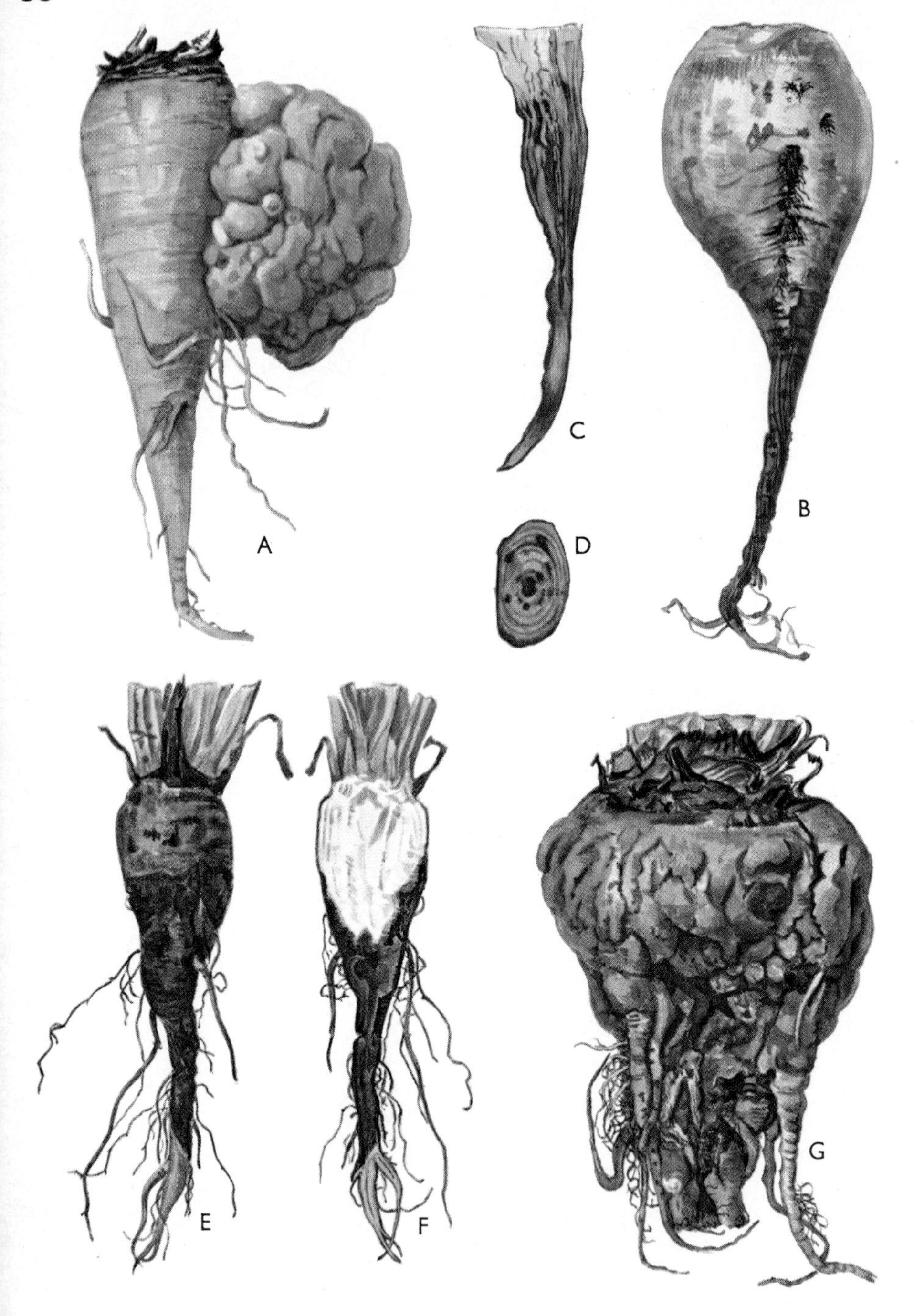
A
C
D
B
E
F
G

A Krongalle *(Agrobacterium tumefaciens)* på sukkerroe.

B-D Spidsråd (en bakteriesygdom) på sukkerroe, C et længdesnit og D et tværsnit af den syge rodspids.

E-G Angreb af ukendt årsag, formentlig sammenspil af vækstforhold og svampeangreb på sukkerroe, E og F ved midsommertid, G ved optagningstid.

A Crown Gall *(Agrobacterium tumefaciens)* on sugar beet.

B-D Tail-rot (probably a bacterial disease) in sugar beet, C a longitudinal section and D a transverse section of the diseased root.

E-G A Root-rot disease of unknown origin in sugar beet, (probably combination of growth conditions and fungus attack). E-F at midsummer time, G at harvest time.

A Rotkräfta *(Agrobacterium tumefaciens)* på sockerbeta.

B-D Spetsröta (en bakteriesjukdom) på sockerbeta, C ett längdsnitt och D ett tvärsnitt av den sjuka rotspetsen.

E-G Angrepp av okänd orsak, förmodligen samspel mellan växtförhållanden och svampangrepp på sockerbeta, E och F vid midsommartid, G vid upptagningen.

A Almindelig skurv *(Actinomyces (Streptomyces) scabies)* på runkelroe.
B-D Bælteskurv *(Actinomyces (Streptomyces) spp.)* på sukkerroe, B begyndelsesstadium med et overfladisk, brunt tværbånd, C og D fremskredne angreb.
E Mekanisk skade på sukkerroe.
F Sukkerroe med normal hulhed (marvhule) i topenden, marvhulen udfyldt af et polypagtigt væv.

A Scab *(Actinomyces (Streptomyces) scabies)* in fodder beet.
B-D Girdle Scab *(Actinomyces (Streptomyces) spp.)* in sugar beet, progressing stages from slightly to strongly attacked roots.
E Sugar beet with mark of early mechanical injury.
F Cavity normally found, in the upper part of big sugar beets, small protuberances formed at the wall of the cavity.

A Skorv *(Actinomyces scabies)* på foderbeta.
B-D Gördelskorv *(Actinomyces spp.)* på sockerbeta, B begynnande angrepp med ett ytligt, brunfärgat tvärband, C och D angrepp i starkt framskridet stadium.
E Mekanisk skada på sockerbeta.
F Sockerbeta med normal hålighet (märghåla) i toppändan, märghålan utfylld med en polypartad vävnad.

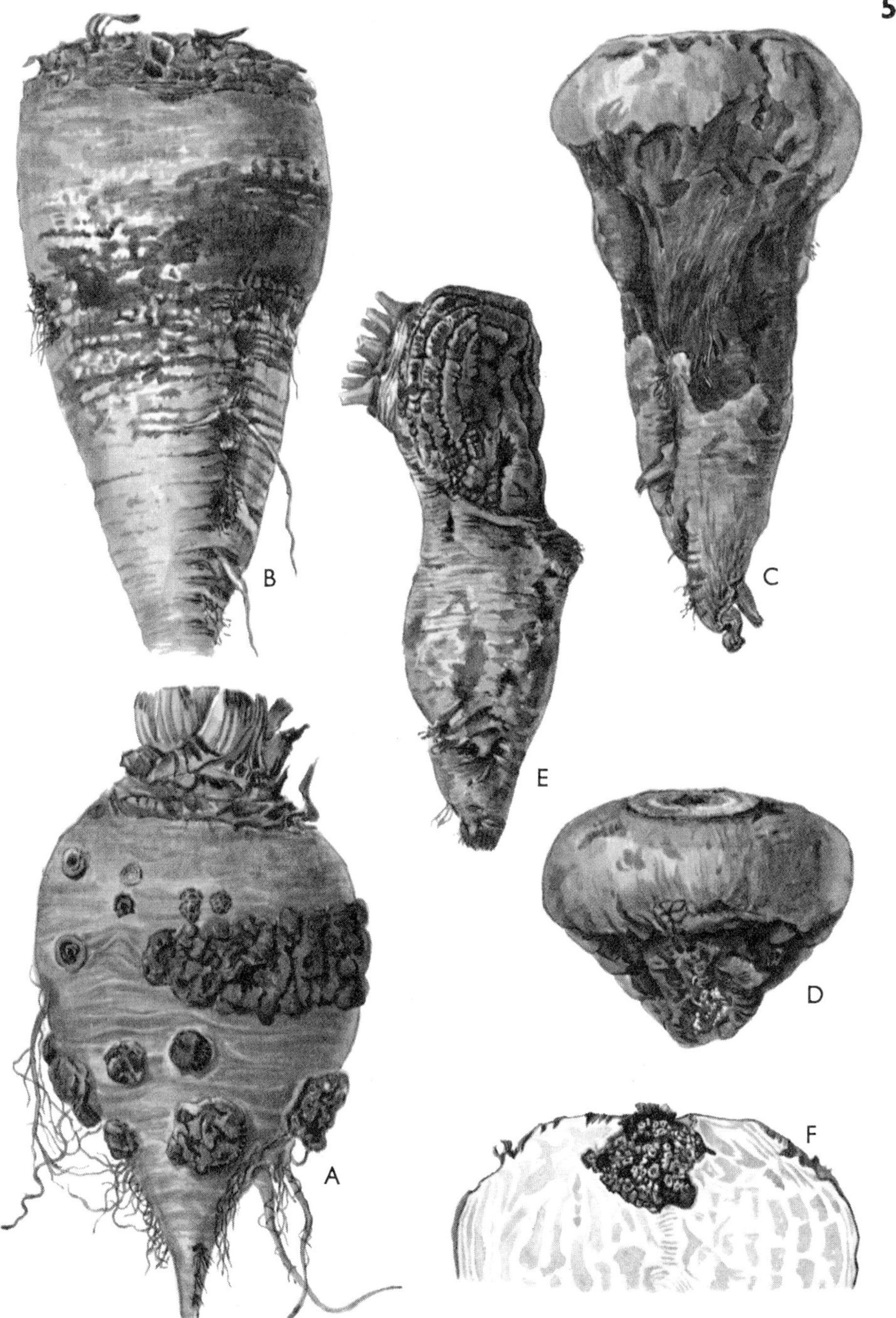
B
C
E
D
F
A

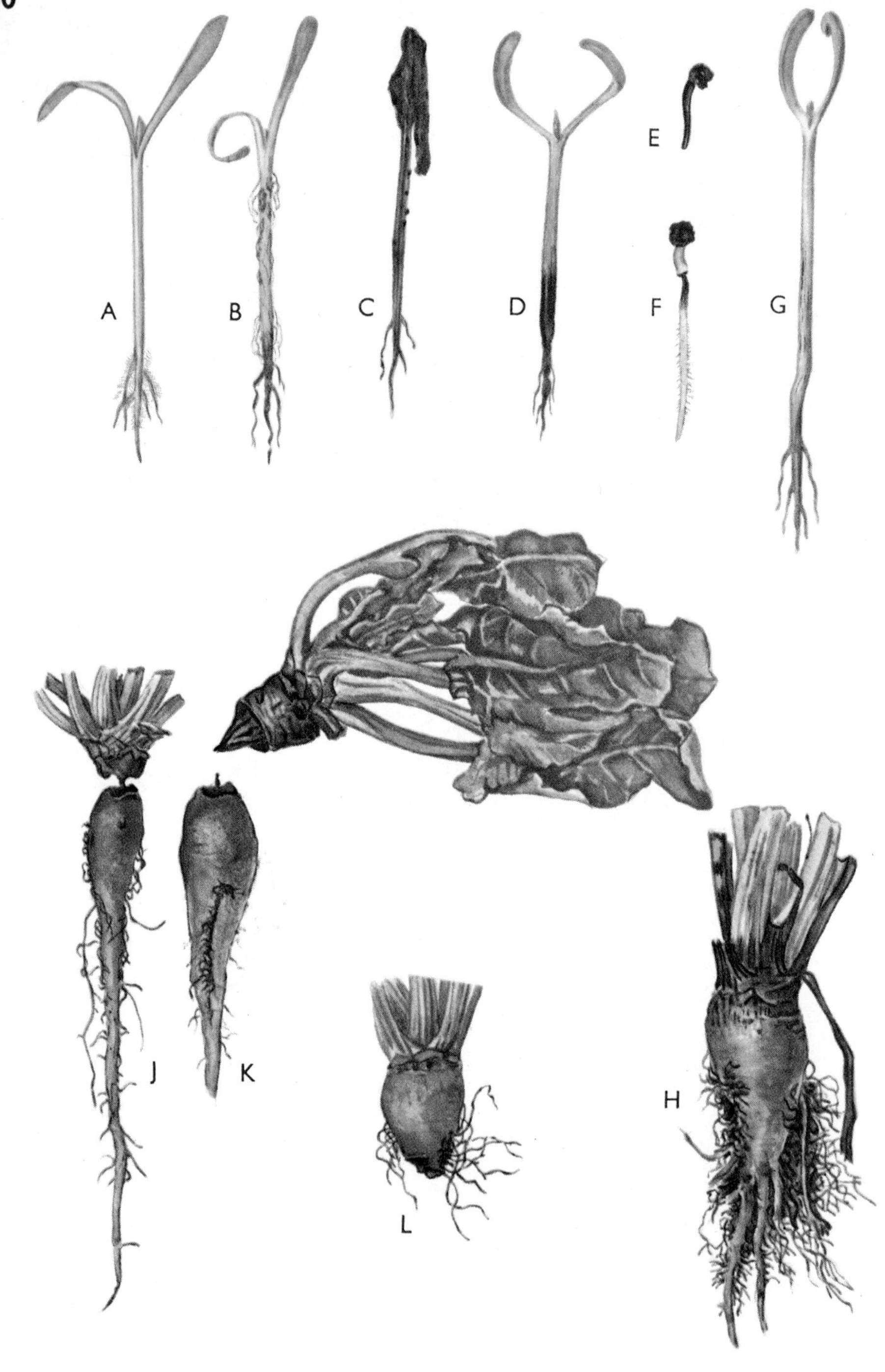
A
B
C
D
E
F
G
J
K
L
H

A-G Rodbrand på bederoekimplanter, forårsaget af forskellige rodbrandsvampe, C, D og G angrebet af svampen *Phoma betae*, E og F af kimskimmel *Pythium debaryanum)* og B af rodfiltsvamp *(Corticium solani)*. A er en sund plante.

H Bederoe (september). Væksten hemmet efter kronisk rodbrand.

I-K Væltesyge hos bederoer, roden indsnøret ved jordoverfladen.

L Mekanisk skade på bederoe.

A-G Root Rot (Black Leg) on beet seedlings caused by different Black Leg fungi (C, D and G by *Phoma betae*, E and F by *Pythium debaryanum*, B invaded by *Corticium solani)*. A is a healthy seedling.

H Fodder beet (September), abnormally small after chronic root rot.

I-K "Strangles" in mangold (partly due to disturbance by wind (squall) after singling of the seedlings). The root is constricted at soil surface.

L Mechanical damage to mangel.

A-G Rotbrand på groddplantor av beta förorsakade av olika rotbrandssvampar: *Phoma betae* på C, D och G; groddbrand *(Pythium debaryanum)* på E och F; gråfiltsvamp *(Corticium solani)* på B. A är en frisk planta.

H Beta (september). Tillväxten hämmad efter kronisk rotbrand.

I-K Vältsjuka hos betor, roten insnörd vid markytan.

L Mekanisk skada på beta.

Bedeskimmel *(Peronospora schachtii)* **på bederoer.**

A Overvintret frøroe med angreb i hjerteskuddet.
B Sukkerroe med nyt angreb i hjerteskuddet, ældre angreb på de visne blade.
C Sammenrullet blad med mørk skimmelpels på undersiden.
D Et vissent, dræbt hjerteblad.
E Gult yderblad fra angrebet plante.

Downy Mildew *(Peronospora schachtii)* **on sugar beet.**

A Attack in heart of young seed beet plant.
B Sugar beet, initial attack on the heart-leaves, advanced attack on the older dead leaves.
C Rolled leaf with fresh conidiophores.
D Destroyed heart-leaf with dried-up conidiophores.
E Yellow outer leaf from an affected plant.

Betmögel *(Peronospora schachtii)* **på sockerbeta.**

A Övervintrad fröbeta med angrepp i hjärtskottet.
B Sockerbeta med ungt angrepp i hjärtskottet, äldre angrepp på de vissna bladen.
C Sammanrullat blad med mörk svamppäls på undersidan.
D Ett vissnat, dött hjärtblad.
E Gult ytterblad från angripen planta.

A
E
D
B
C

A
B
C
D
E
F

A-E Sorte karstrenge hos bederoe, sandsynligvis forårsaget af en kimskimmelart *(Pythium sp.)*. A, B og C tre forskellige stadier af misfarvede blade, der stammer fra roer med sorte karstrenge (D og E i henholdsvis tværsnit og længdesnit).

F Bladpletter på sukkerroe, fremkaldt af *Phoma betae.*

A-E Dark vascular bundles (D-E) in beet, probably due to attack of *Pythium* on the lateral roots. A-C different stages of symptoms in beet-leaves from roots showing attack.

F Leaf Spots on sugar beet, caused by *Phoma betae.*

A-E Svarta kärlsträngar hos beta, sannolikt förorsakade av en groddbrandsvamp *(Pythium sp.)*. A, B och C tre olika stadier av missfärgade blad härstammande från betor med svarta kärlsträngar (D och E i resp. tvär- och längdsnitt).

F Bladfläckar på sockerbeta, framkallade av *Phoma betae.*

A-D Bederust *(Uromyces betae)*. A og C sommersporehobe på frøplante og sukkerroeblad, B skålrusthobe på blad af overvintret frøplante, D vintersporehobe på bladstilk af sukkerroe.

E Pletskimmel *(Ramularia betae)* på blad af runkelroe.

F Bladpletter på sukkerroe, fremkaldt af bladpletsvampen *Cercospora beticola*.

A-D Beet Rust *(Uromyces betae)*, A and C uredo pustules on beet seed plant and sugar beet leaf respectively, B aecidia on leaf of overwintered seed plant, D teleuto stage on sugar beet leaf stalk.

E Leaf Spots *(Ramularia betae)* on mangold leaf.

F Leaf Spots *(Cercospora beticola)* on sugar beet leaf.

A-D Betrost *(Uromyces betae)*. A och C sommarsporhopar på fröplanta och sockerbetsblad, B skålrosthopar på blad av övervintrad fröbeta, D vintersporhopar på bladstjälk av sockerbeta.

E Bladfläckar *(Ramularia betae)* på blad av foderbeta.

F Bladfläckar på sockerbeta förorsakade av svampen *Cercospora beticola*.

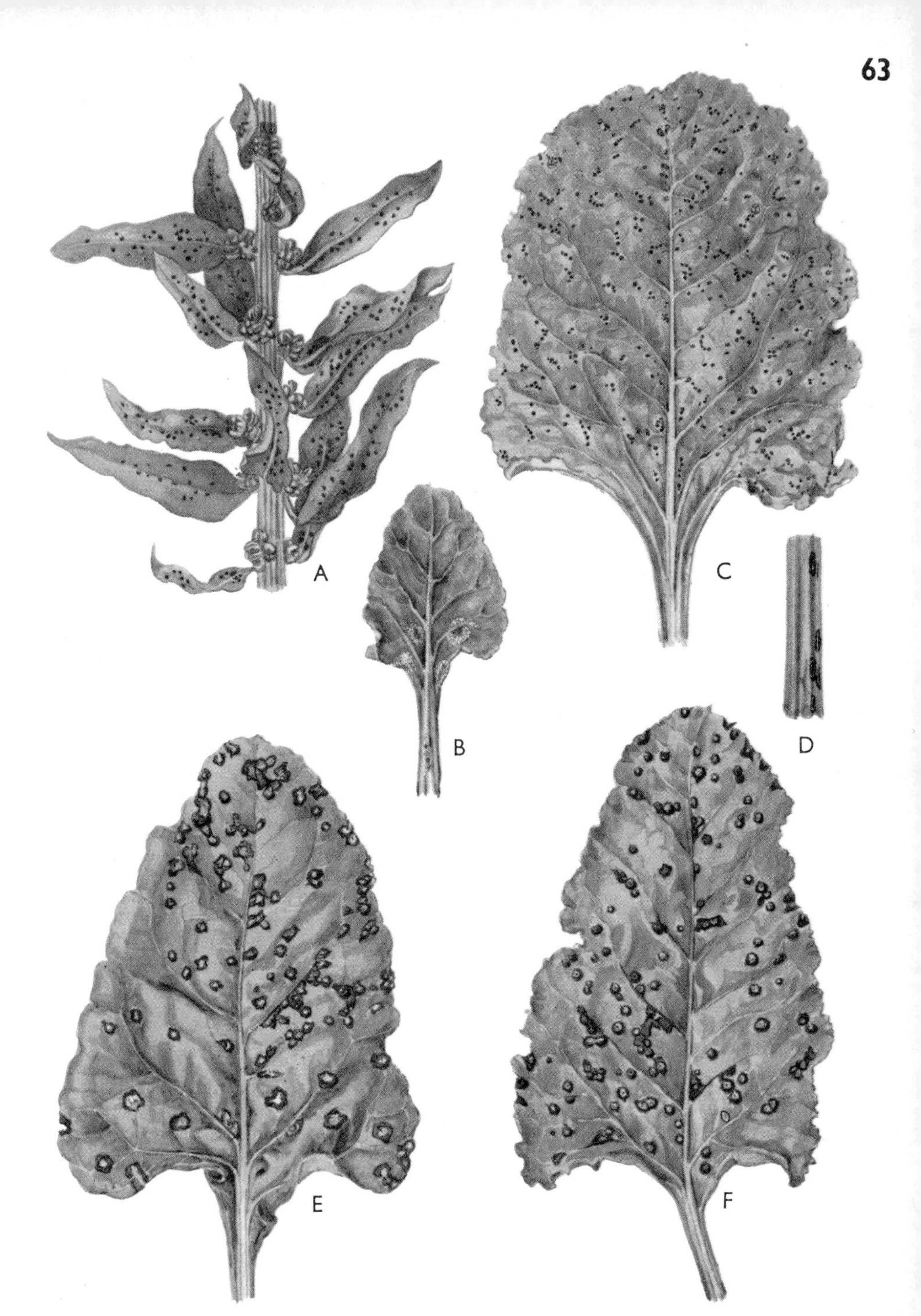
A
B
C
D
E
F

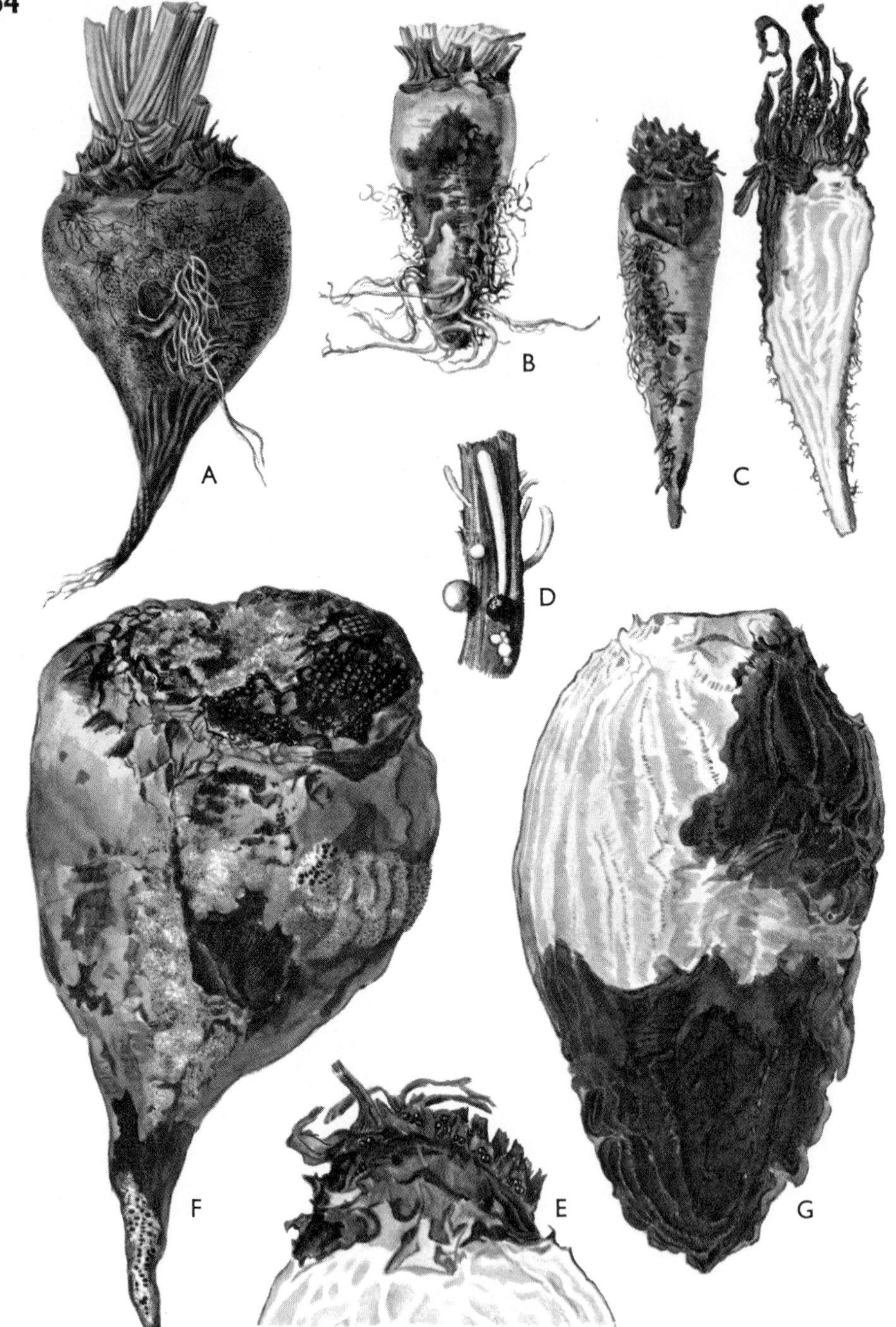
A
B
C
D
F
E
G

A-B Violet rodfiltsvamp *(Helicobasidium purpureum)* på runkelroe og sukkerroe.

C-E Bedens trådkølle *(Typhula gyrans (betae))*. C og E på fodersukkerroe, bemærk de hvidgule eller sorte, kuglerunde hvilelegemer på roernes døde dele. D frugtlegemer på død stængel.

F-G Gråskimmel *(Botrytis cinerea)* på bederoe, F viser den lådne, grå skimmelpels i det hvide *mycelium* og spredte, sorte hvileknolde, G viser et dybtgående råd på roens snitflade.

A-B Violet Root Rot *(Helicobasidium purpureum)* on mangel and sugar beet.

C-E Root Rot caused by the fungus *Typhula gyrans (betae)*. C and E attack in the upper part of seed beets, *Sclerotia*, whitish, yellow or black, spherical, are seen on the dead tissue. D fruiting bodies (pilei) on dead stem.

F-G Grey Mould *(Botrytis cinerea)* on beet, F the fungus on the surface of beet from clamp, G section of damaged beet from clamp.

A-B Rotfiltsjuka *(Helicobasidium purpureum)* på foder- och sockerbeta.

C-E Betans trådklubba *(Typhula gyrans (betae))*. C och E på fodersockerbeta, observera de vitgula eller svarta, klotrunda sklerotierna på rötternas döda delar. D fruktkroppar på död stjälk.

F-G Gråmögel *(Botrytis cinerea)* på beta, F visar den ludna, grå mögelpälsen i det vita *mycelet* och enstaka, svarta sklerotier, G visar en djupgående röta på snittyta av betan.

A Roeål *(Heterodera schachtii)* på sukkerroe, der er stærkt grenet og besat med ålehunner.
B Roeål, fotografi af bederoerødder, der er besat med de hvidlige ålehunner (3 × forst.).
C Angreb af stængelål *(Ditylenchus dipsaci)* på bederoe.
D Tværsnit af bederoe med angreb af stængelål.

A Sugar beet with abnormal and excessive development of lateral rootlets due to attack by Sugar Beet eelworm *(Heterodera schachtii)*.
B Whitish cysts of Sugar Beet eelworm on rootlets of sugar beet (×3 enl.).
C Sugar beet damaged by Stem and Bulb eelworm *(Ditylenchus dipsaci)*.
D Cross section of sugar beet with Stem and Bulb eelworm injury.

A Betål *(Heterodera schachtii)* på sockerbeta, starkt förgrenad och med talrika birötter besatta med nematodhonor.
B Betål, fotografi av birötter, besatta med vitaktiga nematodhonor (3× först.).
C Angrepp av stjälkål *(Ditylenchus dipsaci)* på beta.
D Tvärsnitt av beta med angrepp av stjälkål.

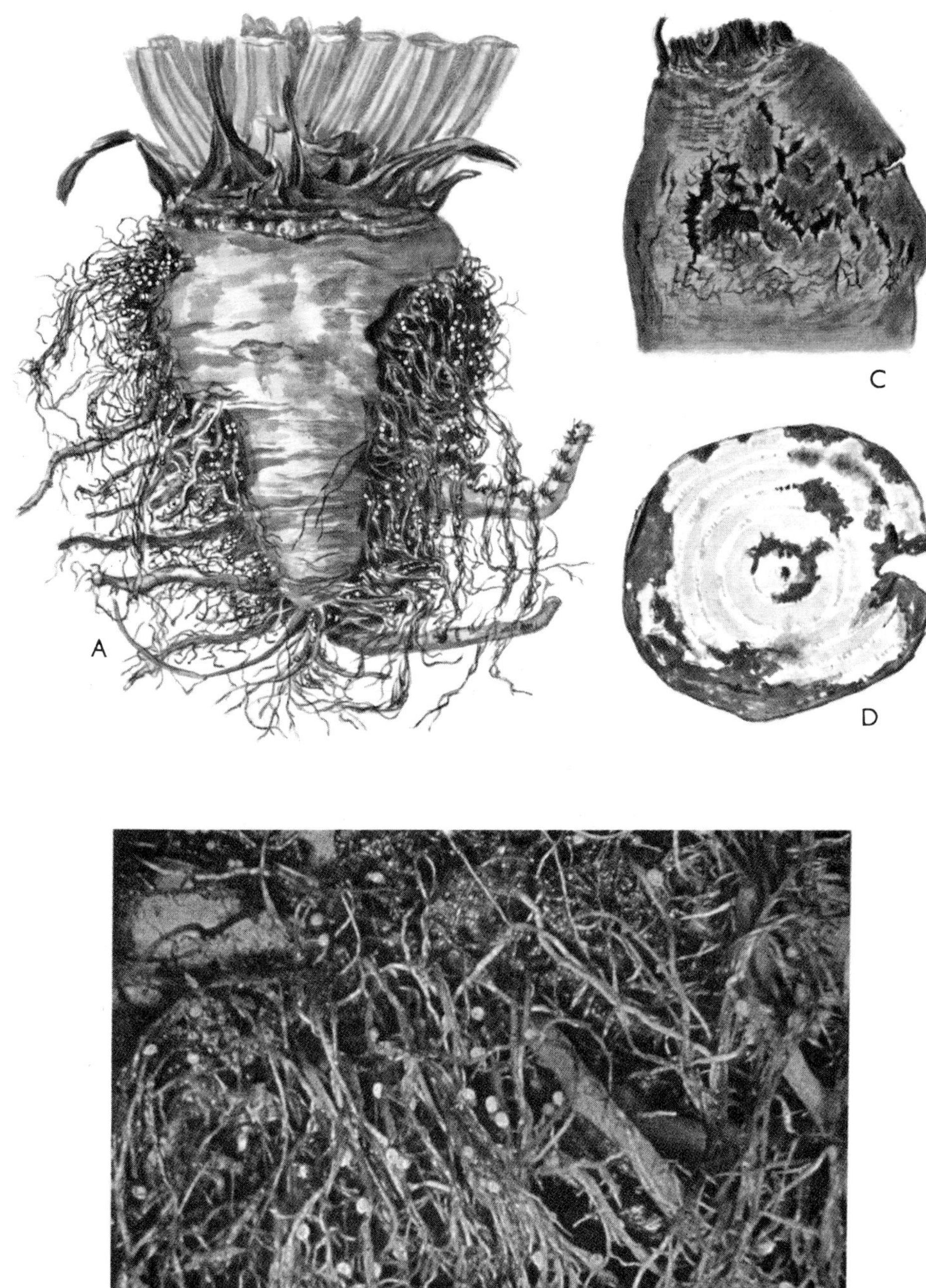
A
B
C
D

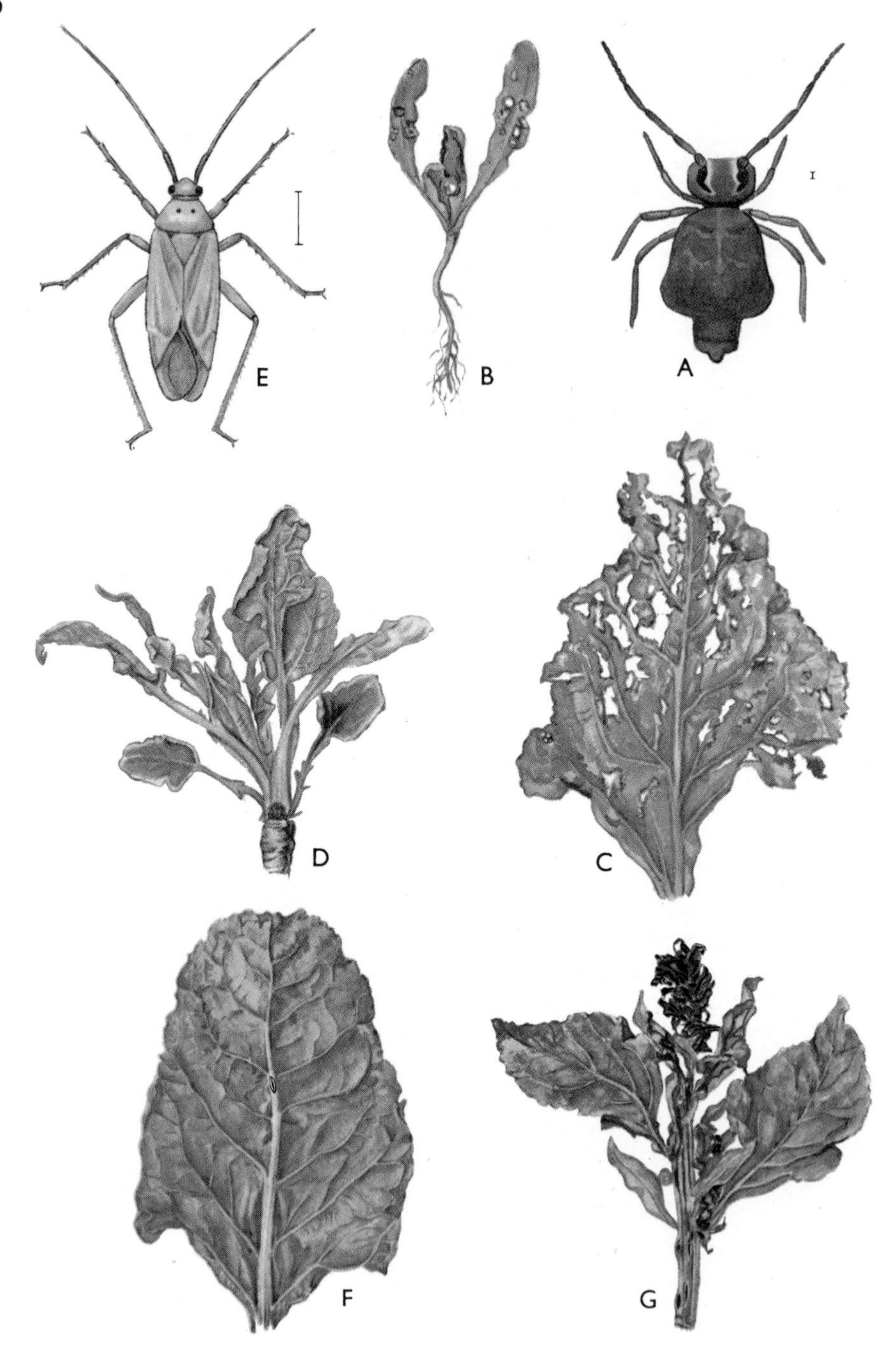
E
B
A
D
C
F
G

A-B Springhale *(Sminthurus hortensis)* og en begnavet kimplante af sukkerroe.
C Runkelroeblade gnavet af ørentvist *(Forficula auricularia*, se tavle 36).
D Sukkerroeplante beskadiget af kålthripsen *(Thrips angusticeps*, se denne på tavle 81, C).
E-G Bladtægen *Calocoris norvegicus* og beskadigede bederoeplanter. F et blad med sår efter sugning på hovedribben og påfølgende gulfarvning af bladspidsen, G et mishandlet topskud af bederoefrøplante med talrige sår og vissen skudspids.

A-B Black Globular springtail *(Sminthurus hortensis)* and sugar beet plant gnawed by springtails.
C Leaf of mangold gnawed by The Common earwig *(Forficula auricularia*, see plate 36).
D Sugar beet plant attacked by the Cabbage thrips *(Thrips angusticeps*, plate 81, C).
E-G The Potato Capsid bug *(Calocoris norvegicus)* and damaged beet plants, F beet leaf showing ulceration at the main rib due to toxic saliva of the bug, F the same on shoot of a beet seed plant. In both cases the distal plant tissues yellowed and destroyed. Damage is most common near hedges.

A-B Hoppstjärt *(Sminthurus hortensis)* och groddplanta av sockerbeta med gnagskador av hoppstjärtar.
C Blad av foderbeta med gnag av tvestjärt *(Forficula auricularia*, se plansch 36).
D Sockerbetplanta skadad av åkertrips *(Thrips angusticeps*, se även plansch 81, C).
E-G Stinkfly *(Calocoris norvegicus)* och skadade betplantor. F ett blad med ärr efter stick på huvudnerven och därmed följande gulfärgning av bladspetsen, G ett skadat toppskott av fröbeta med talrika sår och vissnad skottspets.

A Ferskenlusen *(Myzus persicae)*.
B-C Bedelus *(Aphis fabae)*, uvinget og vinget eksemplar.
D-E Angreb af bedelus på underside af bederoeblad og på frøstængel.
F Branddug på bederoe efter angreb af bedelus.
G Benved *(Euonymus europaeus)*, der er vinterværtplante for bedelusen.

A The Peach-Potato aphid *(Myzus persicae)*.
B-C The Black Bean aphid *(Aphis fabae)*, wingless and winged forms respectively.
D-E The Black Bean aphid on leaf and inflorescence of beet.
F Sooty Mould (honeydew fungus) on beet leaf.
G Twig of Spindle Tree *(Euonymus europaeus)*, which is the winter host of the Black Bean aphid.

A Persikbladlusen *(Myzus persicae)*.
B-C Betbladlusen *(Aphis fabae)*, ovingat och vingat exemplar.
D-E Angrepp av betbladlus på undersidan av betblad och fröstjälk.
F Sotdagg på beta efter angrepp av betbladlus.
G Benved *(Euonymus europaeus)*, som är vintervärd för betbladlusen.

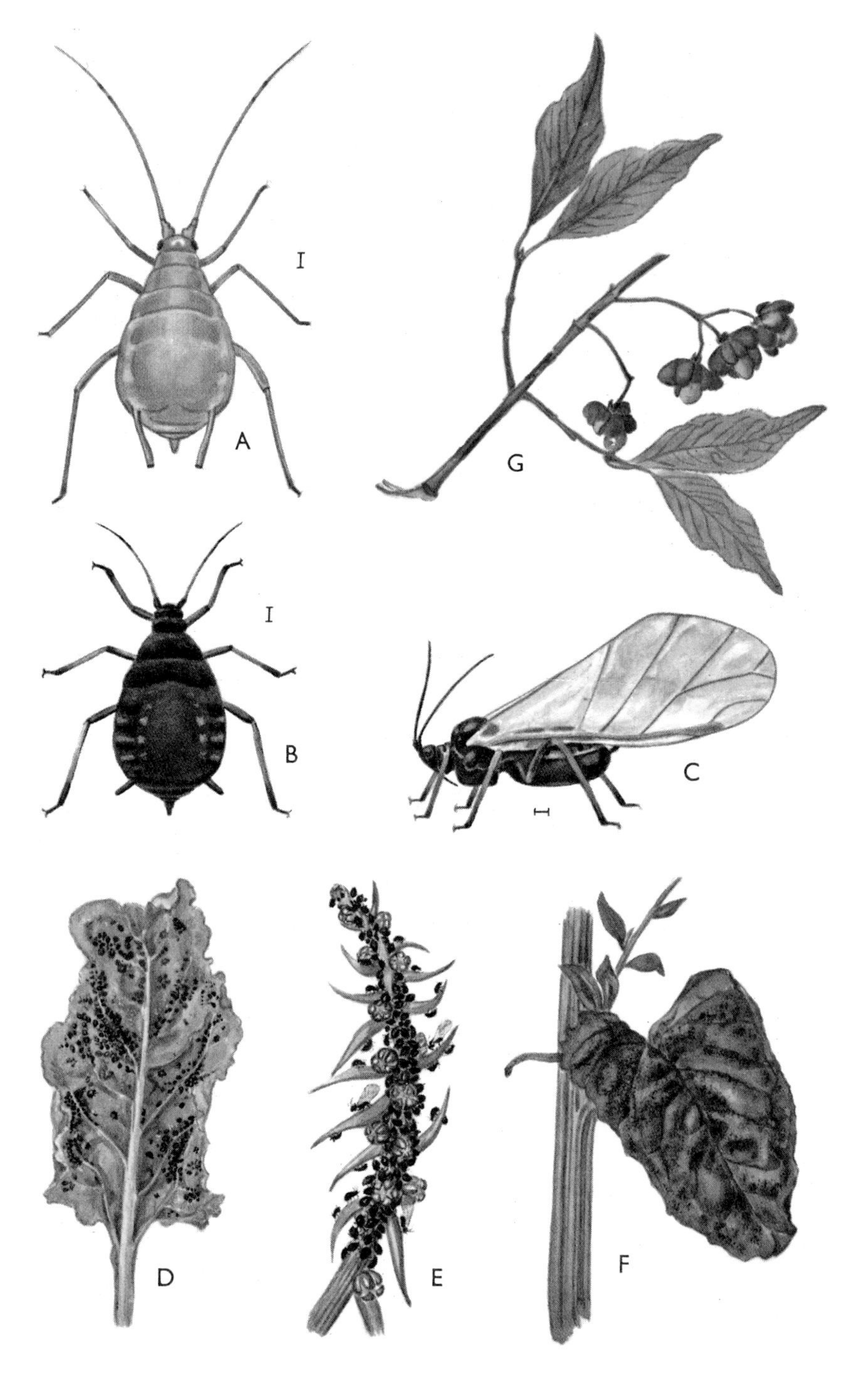
A
B
C
D
E
F
G

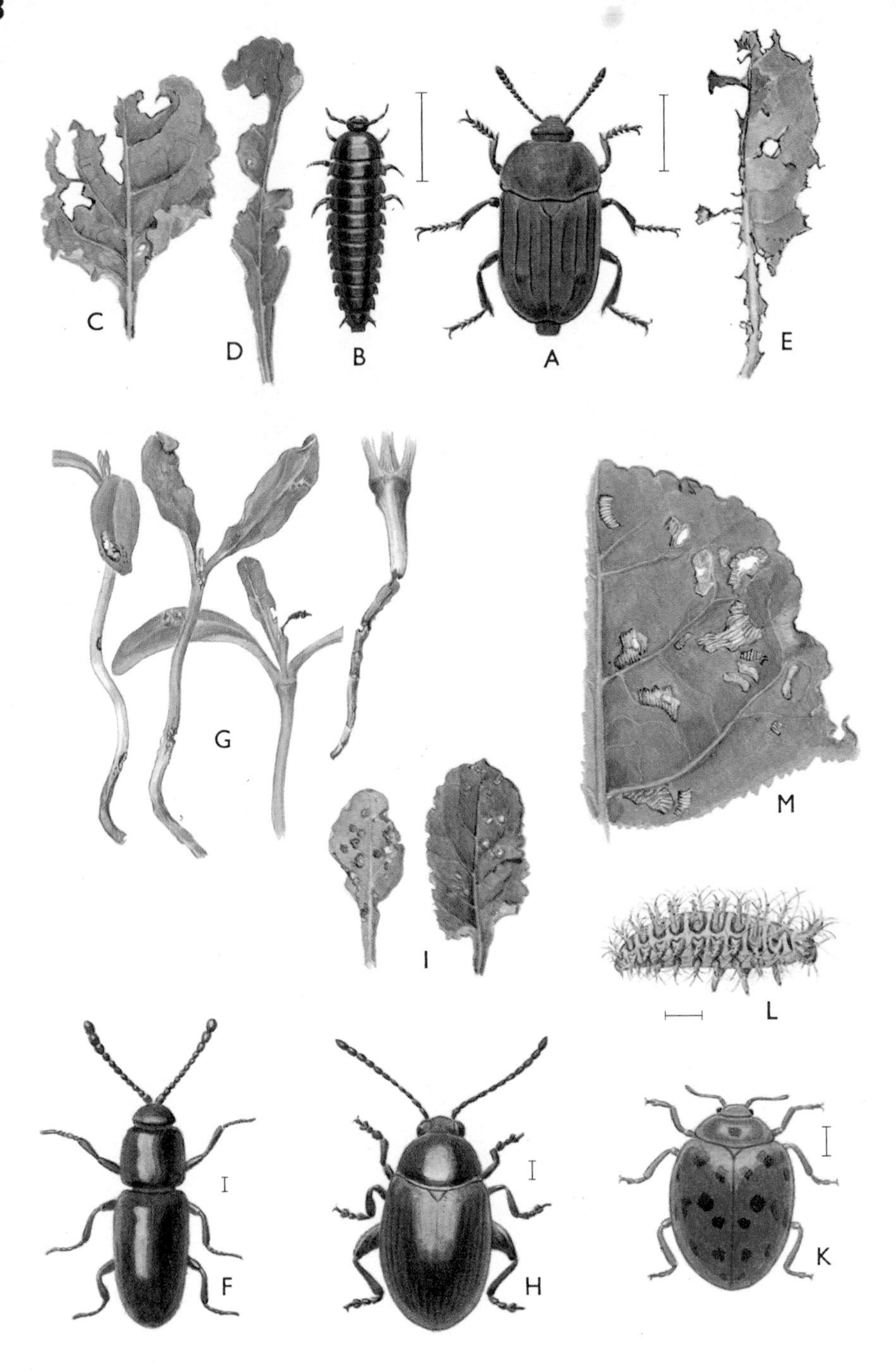
C
D
B
A
E
G
M
I
L
F
H
K

A Den matsorte ådselbille *(Blitophaga opaca)*.
B Larve af den matsorte ådselbille.
C-D Sukkerroeblade gnavet af ådselbillelarver.
E Sukkerroeblad gnavet af ådselbillen.
F-G Runkelroebillen *(Atomaria linearis)* og dens gnav på bederoekimplanter.
H-I Bedejordloppen *(Chaetocnema concinna)* og dens gnav på bederoeblade.
K-M Den 24-plettede mariehøne *(Subcoccinella 24-punctata)*, bille og larve samt deres karakteristiske gnav på et bederoeblad.

A The Beet Carrion beetle *(Blitophaga opaca)*.
B Larva of the Beet Carrion beetle.
C-D Sugar beet leaves gnawed by larvae of the Beet Carrion beetle.
E Sugar beet leaf gnawed by the Beet Carrion beetle.
F-G The Pygmy Mangold beetle *(Atomaria linearis)* and beet plants injured by the beetles.
H-I The Mangold Flea beetle *(Chaetocnema concinna)* and beet leaves gnawed by the beetle.
K-M The Twentyfour-spot ladybird *(Subcoccinella 24-punctata)* beetle and larva, and their characteristic skeletonising injury in strips on beet leaf.

A Gulhåriga skinnarbaggen *(Blitophaga opaca)*.
B Larv av gulhåriga skinnarbaggen.
C-D Betblad med gnag av gulhåriga skinnarbaggens larv.
E Betblad med gnag av gulhåriga skinnarbaggen, fullbildad.
F-G Lilla betbaggen *(Atomaria linearis)* och dess gnag på groddplantor av betor.
H-I Betjordloppan *(Chaetocnema concinna)* och dess gnag på betblad.
K-M Håriga nyckelpigan *(Subcoccinella 24-punctata)*, skalbagge och larv samt deras karaktäristiska gnag på ett betblad.

A Den almindelige oldenborre *(Melolontha melolontha).*
B Den sortrandede oldenborre *(Melolontha hippocastani).*
C Oldenborrelarve.
D-E Bederoer med gnav af oldenborrelarver.
F Gåsebille *(Phyllopertha horticola).*
G Den stribede skjoldbille *(Cassida nobilis).*
H-I Den plettede skjoldbille *(Cassida nebulosa)* og dens larve.
K Bederoeblad gnavet af den plettede skjoldbille.

A-B Cockchafers (A *Melolontha melolontha,* B *Melolontha hippocastani).*
C Cockchafer larva.
D-E Beets injured by Cockchafer larvae.
F The Garden chafer *(Phyllopertha horticola).*
G The Striped Tortoise beetle *(Cassida nobilis).*
H-I The Clouded Tortoise beetle *(Cassida nebulosa)* and larva.
K Leaf of mangold, gnawed by the Clouded Tortoise beetle.

A Ollonborren *(Melolontha melolontha).*
B Kastanjeborren *(Melolontha hippocastani).*
C Ollonborrlarv.
D-E Betor med gnag av ollonborrlarver.
F Trädgårdsborre *(Phyllopertha horticola).*
G Strimmiga sköldbaggen *(Cassida nobilis).*
H-I Fläckiga sköldbaggen *(Cassida nebulosa)* och dess larv.
K Betblad med gnag av fläckiga sköldbaggen.

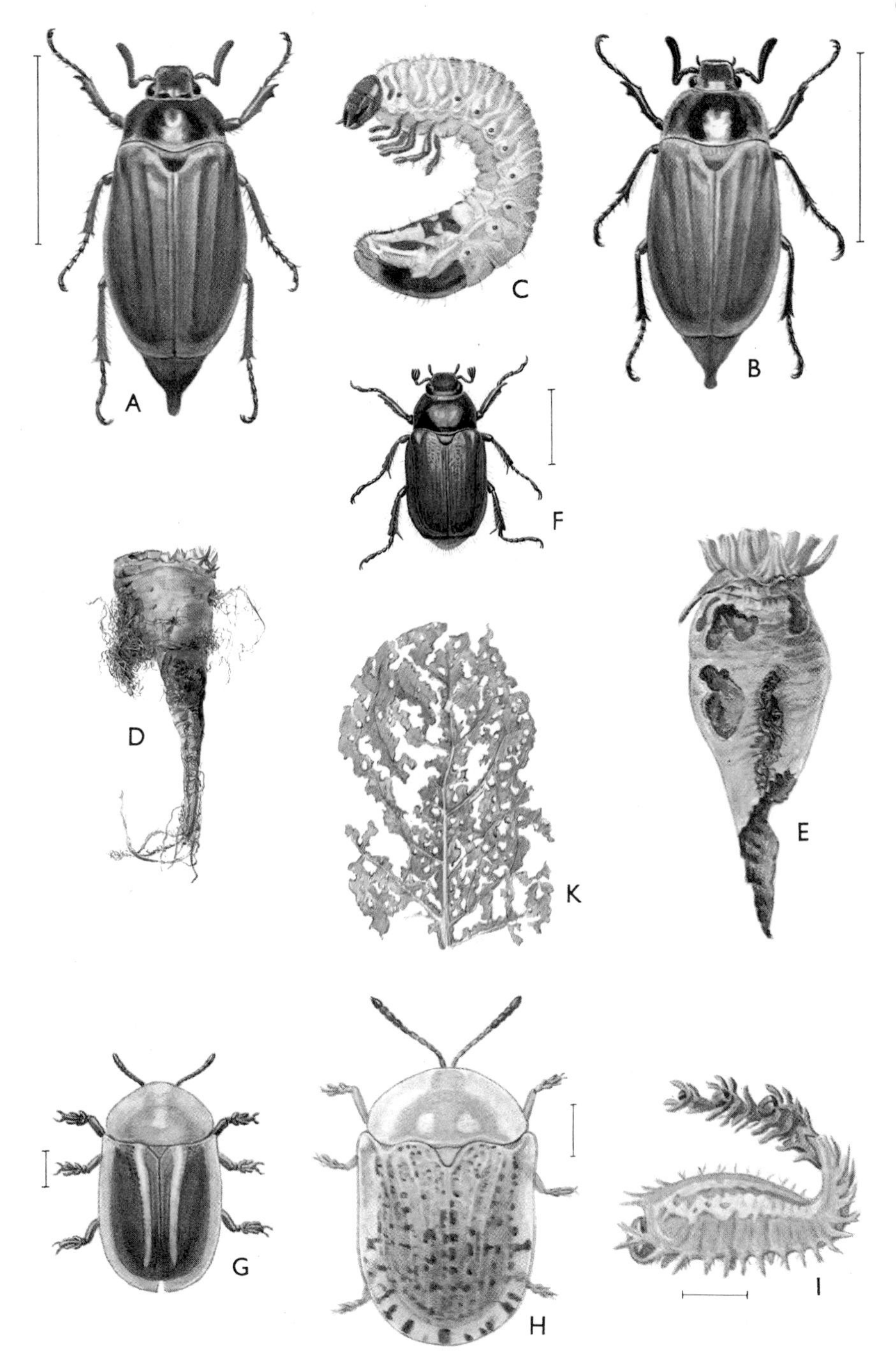
A
C
B
F
D
K
E
G
H
I

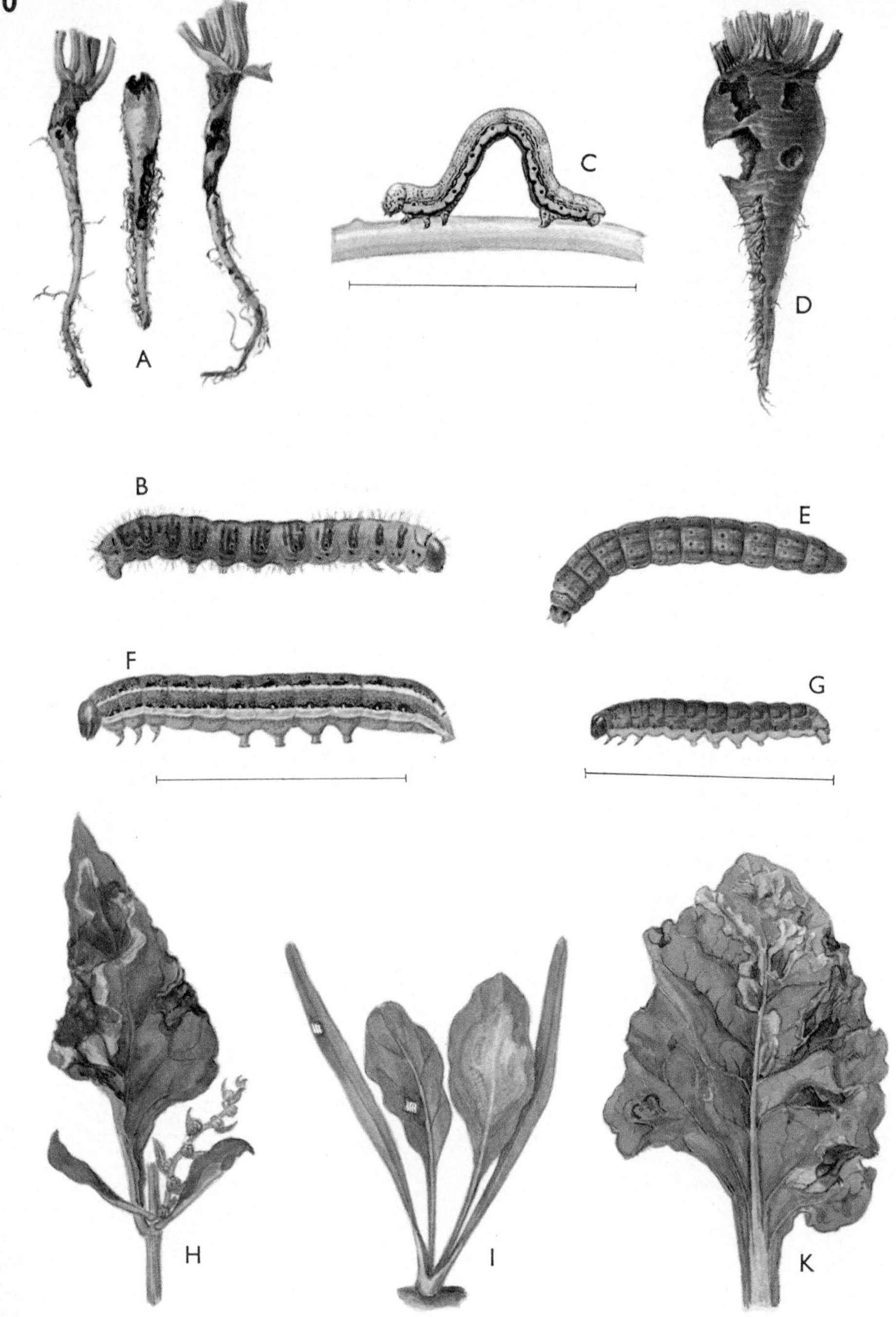
A
C
D
B
E
F
G
H
I
K

A-B Kartoffelborerens larve *(Hydroecia micacea)* og begnavede sukkerroeplanter.
C Målerlarven *Biston zonarius.*
D-E Knoporm *(Agrotis segetum)* og begnavet runkelroe.
F Bedeuglens larve *(Mamestra trifolii).*
G Kåluglens larve *(Mamestra brassicae).*
H-K Angreb på bederoeblade af bedefluens larver *(Pegomyia hyoscyami),* I ung plante med æghobe på bladenes underside.

A-B Larva of the Rosy Rustic moth *(Hydroecia micacea)* and sugar beet plantlets gnawed by the larva.
C Larva of *Biston zonarius.*
D-E Cutworm *(Agrotis segetum)* and mangold gnawed by the worm.
F Larva of *Mamestra trifolii.*
G Larva of the Cabbage moth *(Mamestra brassicae).*
H-K Beet leaves mined by the Mangold fly larvae *(Pegomyia hyoscyami),* I showing eggs on the underside of leaves.

A-B Potatisstamflyets larv *(Hydroecia micacea)* och skadade sockerbetplantor.
C Larv av mätarfjärilen *Biston zonarius.*
D-E Larv av sädesbroddflyet *(Agrotis segetum)* och skadad beta.
F Larv av klöverfly *(Mamestra trifolii).*
G Larv av kålfly *(Mamestra brassicae).*
H-K Angrepp på betblad av betflugans larver *(Pegomyia hyoscyami),* I ung planta med äggsamlingar på bladens undersida.

A Kålroeblad med symptomer på magnesiummangel.
B Kålroeplante med symptomer på fosforsyremangel, se også tavle 91 B.
C-D Kålroeblade med symptomer på kaliummangel.

A Magnesium Deficiency in swede.
B Phosphorous Deficiency in swede, campare plate 91 B.
C-D Potassium Deficiency in swede.

A Kålrotblad med symptom på magnesiumbrist.
B Kålrotplanta med symptom på fosfatbrist, jfr. plansch 91 B.
C-D Kålrotblad med symptom på kalibrist.

A
C
B
D

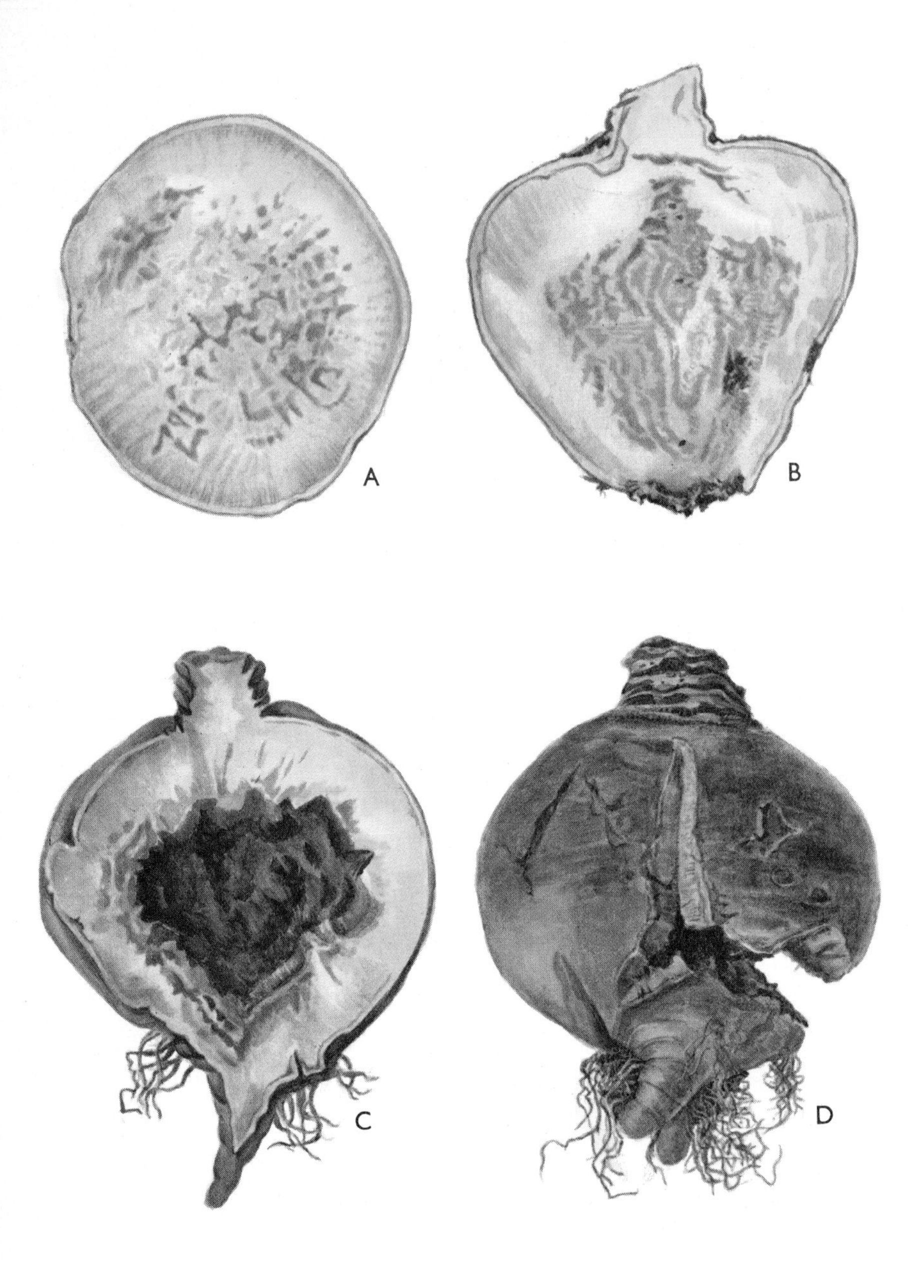
A
B
C
D

A-B Bormangel (marmorering) på kålroe.
C Bormangel (fremskredet stadium, kærneråd) i kålroe.
D Vækstspalter i kålroe, en delvis arvelig tilbøjelighed til revnedannelse under vejrforhold med skiftevis regn og tørke.

A-C Symptoms of Boron Deficiency (Brown Heart) in swedes, different stages from slight to severe injury.
D Growth cracks in swedes, probably due to sudden changes between drought and heavy rain and to some extent of hereditary disposition.

A-B Borbrist (marmorering) hos kålrot.
C Borbrist (framskridet stadium, kärnröta) hos kålrot.
D Tillväxtsprickor i kålrot, delvis ärftligt betingad och framträdande under väderleksförhållanden med omväxlande regn och torka.

A-B Kobbermangel (gulspidssyge) hos kålroe, en veludviklet, normal plante sammenlignet med en gulspidssyg plante.
C Kimplanter af kålroe med kulde- og frostskadesymptomer, t.v. en sund kimplante.
D-E Kulde- og frostskadesymptomer på kålroeblade.

A-B Copper Deficiency in swede (B) compared with normal and vigorous plant.
C Swede seedlings with cold and frost injury symptoms, normal plant at left.
D-E Swede leaves with frost injury symptoms.

A-B Kopparbrist (gulspetssjuka) hos kålrot, en välutvecklad, normal planta som jämförelse med en gulspetssjuk sådan.
C Groddplantor av kålrot med köld- och frostskadesymptom, t.v. frisk planta.
D-E Köld- och frostskadesymptom på kålrotsblad.

D
C
E
A
B

A
B
E
F
C
D

A-D Mosaiksyge, (sandsynligvis *Brassica virus 1)* på kålroe, A og B stærkt krusede hjerteblade med brune dødvævspletter, C stærkt spættet og buklet blad af frøplante, D begyndende angreb på kålroefrøtop.

E-F Mosaiksyge på turnipsblade med vidt forskellige symptomer.

A-D Mosaic (probably *Brassica virus 1)* in swedes, A-B in heart-leaves, C-D in seed plants.

E-F Mosaic in turnip.

A-D Mosaiksjuka *(Brassica virus 1)* hos kålrot, A och B starkt krusiga hjärtblad med bruna fläckar av död vävnad, C gulfläckiga och buckligt blad av planta till frö, D begynnande angrepp på fröstock.

E-F Mosaiksjuka på rovblad med starkt varierande symptom.

A Frostskade i kålroe (fra kule), i roens venstre side tydelige frostspalter og udbredt råd.

B Kålroe med halsråd (hjerteråd, forårsaget af forrådnelsesbakterier) efter angreb af krusesygegalmyggen, se også tavle 88 A og F. Under opbevaring i kule har almindelig forrådnelse (bakterieråd) bredt sig yderligere ned i roelegemet.

C Brunbakteriose *(Xanthomonas campestris)* i kålroe, sorte karstrenge under barken, i rodspidsen gnav af kålfluelarver, som sandsynligvis har banet vej for angrebet.

D Brunbakteriose på kålblad, mørke bladribber efter infektion fra bladranden.

A Swede damaged by frost in the clamp, left side of the root collapsed and showing frost cracks.

B Neck Rot in swede, a secondary symptom of attack of Swede midge, compar plate 88 A and F. In the clamp rot has spread farther.

C Black Rot *(Xanthomonas campestris)* in swede, the root tip mined by cabbage maggots, which probably opened the way for the attack.

D Black Rot on cabbage leaf.

A Frostskada på kålrot (från stuka), på vänstra sidan av roten tydliga frostprickor och en utbredd röta.

B Kålrot med halsröta (hjärtröta orsakad av förruttnelsebakterier) efter angrepp av kålgallmyggan, se även plansch 88 A och F. Under förvaring i stuka har rötan brett ut sig ytterligare i roten.

C Brunbakterios *(Xanthomonas campestris)* i kålrot, svarta kärlsträngar under barken, i rotspetsen gnag av kålflugelarver som sannolikt banat väg för angreppet.

D Brunbakterios på kålblad, mörkfärgade bladnerver efter infektion från bladkanten.

A
B
C
D

A

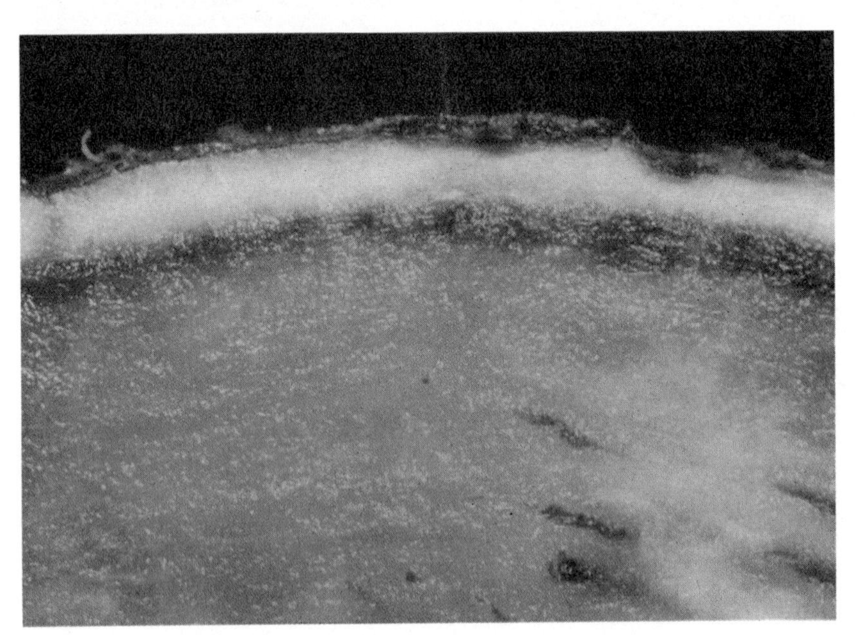

B

A Hvidbakteriose *(Erwinia carotovora)* på turnips, ved siden af den angrebne roe, der er rådnet helt over, står en sund plante.

B Brunbakteriose *(Xanthomonas campestris)* på kålroe. Tværsnit (forstørret) viser de sortebrune karstrenge.

A Soft Rot *(Erwinia carotovora)* of turnip. To the right of the totally destroyed specimen a healthy plant.

B Black Rot *(Xanthomonas campestris)* in swede. The cross section (enlarged) shows the dark brown vessels.

A Vitbakterios *(Erwinia carotovora)* på rova, vid sidan av den angripna roten, som är rutten helt igenom, står en frisk planta.

B Brunbakterios *(Xanthomonas campestris)* på kålrot. Tvärsnitt (förstorat) visande de svartbruna kärlsträngarna.

A-B Krydsningsknuder på kålroe.
C-D Kålbrok *(Plasmodiophora brassicae)* på gul sennep.
E Kålbrok på turnips, de ældre knuder delvis smuldret bort.
F Kålbrok på kålroe.

A-B Hybridization nodules in swede.
C-D Club Root *(Plasmodiophora brassicae)* in mustard *(Sinapis alba)*.
E Club Root on turnip, the older galls partly decayed.
F Club Root in swede.

A-B Hybridknölar på kålrot.
C-D Klumprotsjuka *(Plasmodiophora brassicae)* på vitsenap.
E Klumprotsjuka på rova, de äldre svulsterna delvis söndersmulade.
F Klumprotsjuka hos kålrot.

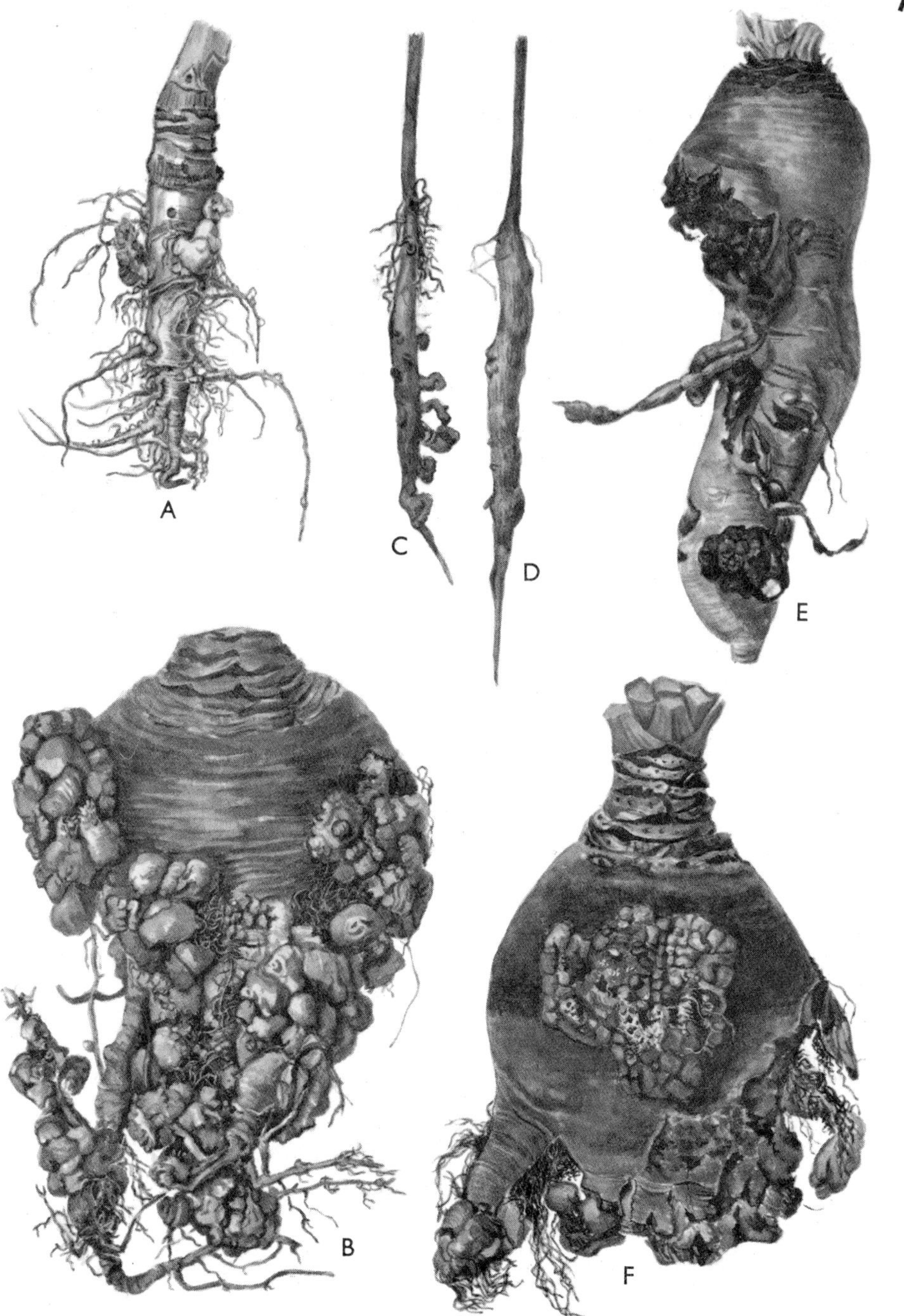
A
C
D
E
B
F

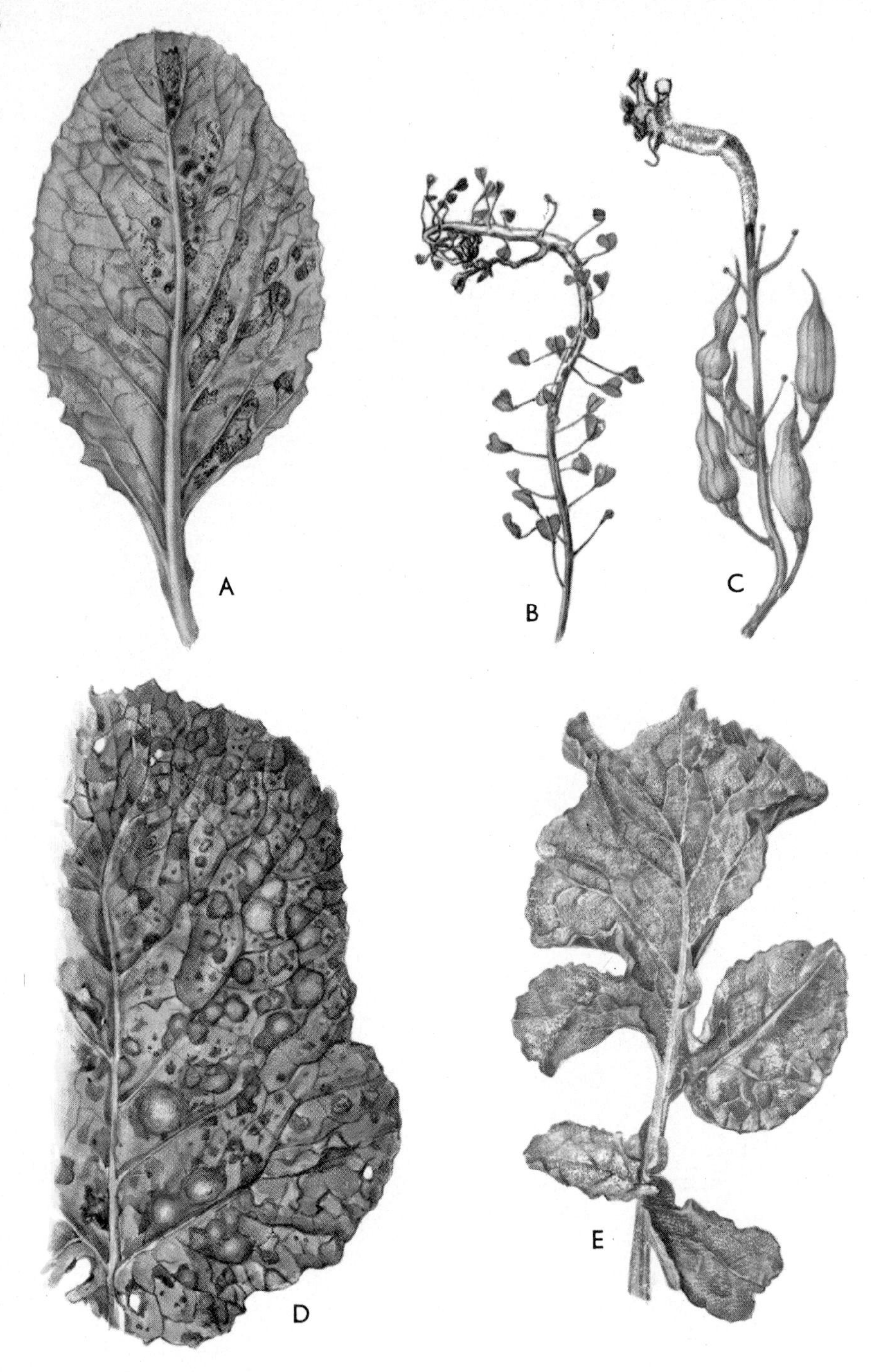
A
B
C
D
E

A Kålskimmel *(Peronospora brassicae)* på kålblad.
B-C Hvidrust *(Albugo candida)* på hyrdetaske og radis.
D Hvidplet *(Cercosporella brassicae)* på kålroeblad.
E Meldug *(Erysiphe polygoni)* på kålroeblad.

A Downy Mildew *(Peronospora brassicae)* on cabbage leaf.
B-C White Blister *(Albugo candida)* in shepherd's purse and radish.
D White Spot in swede, caused by *Cercosporella brassicae.*
E Mildew *(Erysiphe polygoni)* on swede leaf.

A Kålmögel *(Peronospora brassicae)* på kålblad.
B-C Vitrost *(Albugo candida)* på penninggräs och rädisa.
D Vitfläcksjuka *(Cercosporella brassicae)* på kålrotblad.
E Kålmjöldagg *(Erysiphe polygoni)* på kålrotblad.

A Stor skulpesvamp *(Alternaria brassicae)* på turnipsblad.
B-C Lille skulpesvamp *(Alternaria circinans)* på skulper af blomkål.
D Lille skulpesvamp, pletter på stængel af radis.
E Lille skulpesvamp, ringede bladpletter og aflange stængelpletter på kålplante.
F Trådkølle *(Typhula gyrans)*, kuglerunde, sorte sklerotier i det indre af kålroefrøstængel, sml. tavle 64 C-E.
G Kålroens tørforrådnelse *(Phoma lingam)* på kålroe, stort ældre sår foroven, ungt sår t.v.
H-I Kålroens tørforrådnelse på frøkålroe, ydre og indre symptomer.

A Dark Spot *(Alternaria brassicae)* on turnip leaf.
B-E Dark Leaf Spot *(Alternaria circinans)* on pods of cauliflower (B, C), on stem of radish (D) and on leaf and stem of cabbage (E).
F Spherical, dark sclerotia of the fungus *Typhula gyrans* in the stem cavity of swede seed plant. (Compare plate 64 C-E).
G Dry Rot Canker *(Phoma lingam)* on swede.
H-I Dry Rot Canker on swede seed plant.

A Svartfläcksjuka *(Alternaria brassicae)* på rovblad.
B-C Svartfläcksjuka *(Alternaria circinans)* på skidor av blomkål.
D Svartfläcksjuka, på stjälk av rädisa.
E Svartfläcksjuka *(A. circinans)*, ringformiga bladfläckar och avlånga stjälkfläckar på kålplanta.
F Trådklubba *(Typhula gyrans)*, klotrunda, svarta sklerotier i det inre av en fröstock av kålrot, jfr plansch 64 C-E.
G Torröta *(Phoma lingam)* hos kålrot, överst ett utbrett, gammalt sår, t.v. ung skada.
H-I Torröta hos kålrot i fröodling, yttre och inre symptom.

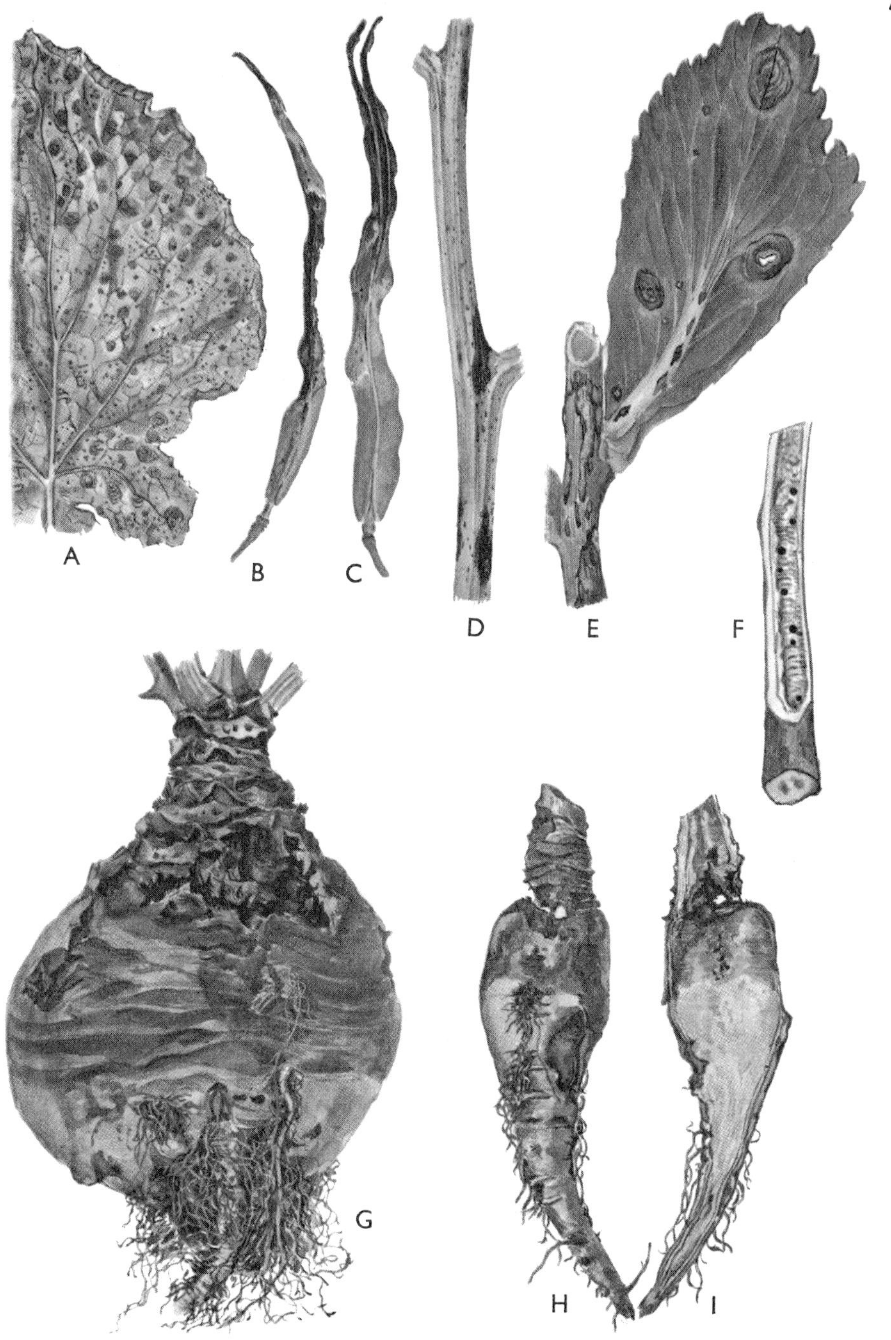
A
B
C
D
E
F
G
H
I

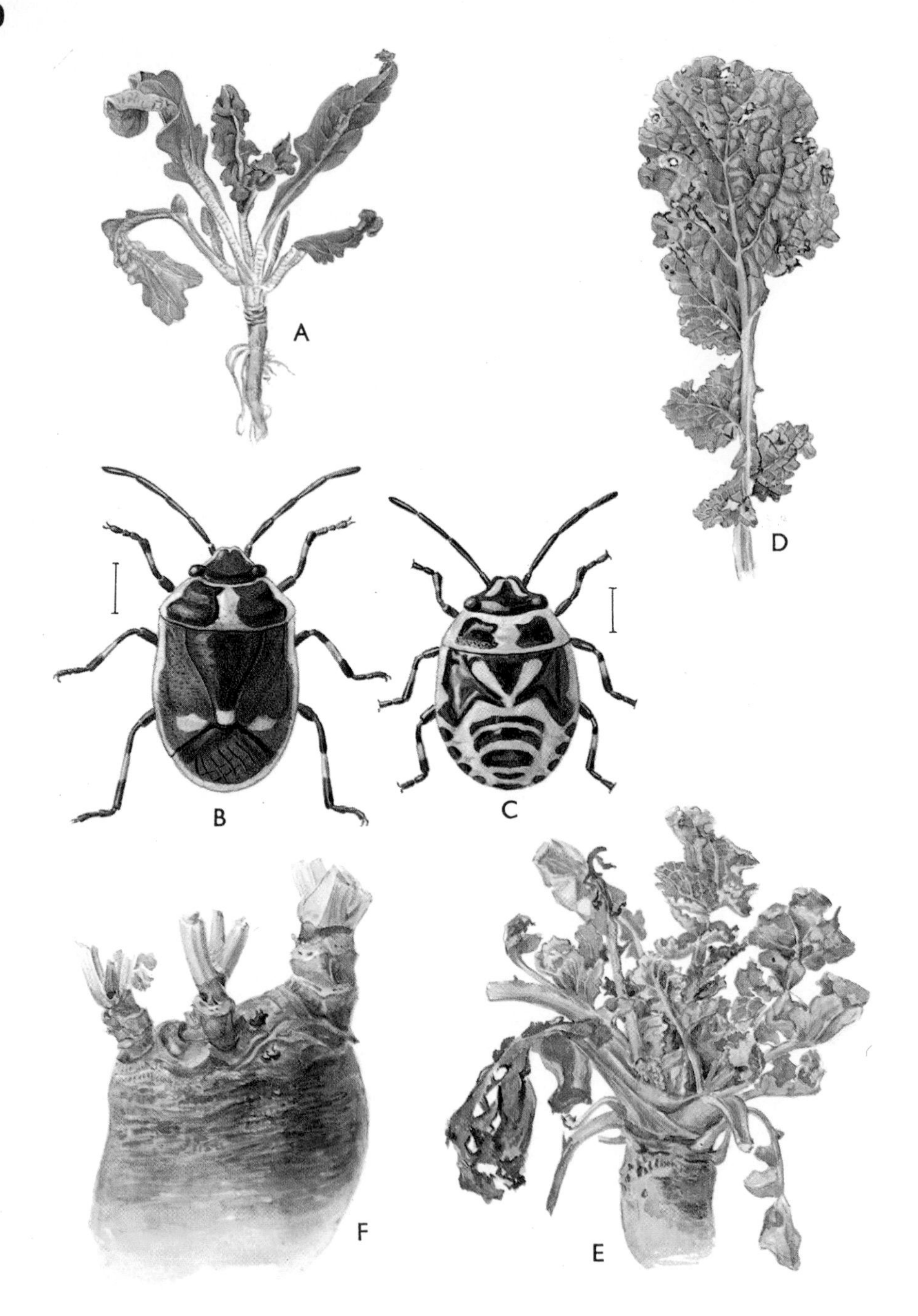
A
D
B
C
F
E

A Rapsplante angrebet af stængelålen *(Ditylenchus dipsaci).*
B-C Kåltæge *(Eurydema oleracea)* og dens larve *(nymfe).*
D Blad af kålroe beskadiget af kåltæger.
E Kålroetop med gule og visne blade og purret vækst efter sugning af kåltæger.
F Kålroe, der er blevet flerhovedet, efter at hjerteskuddet er ødelagt af bladtægen *Calocoris norvegicus*, (se tavle 66, E).

A Rape deformed by Stem and Bulb eelworm *(Ditylenchus dipsaci).*
B-C Adult and nymph of the Pentatomid *Eurydema oleracea.*
D Swede leaf injured by *Eurydema oleracea.*
E Swede injured by *Eurydema oleracea.*
F Swede with three necks ("many-neck"), the original heart being killed by the capsid *Calocoris norvegicus* (The Potato Capsid bug, compare plate 66, E)

A Rapsplanta angripen av stjälkål *(Ditylenchus dipsaci).*
B-C Rapssugare *(Eurydema oleracea)* med larv.
D Blad av kålrot skadat av rapssugare.
E Kålrot med gula och vissna blad och hämmad växt efter sugskador av rapssugare.
F Kålrot, som skjutit flera skott, sedan hjärtskottet förstörts av stinkflyet *Calocoris norvegicus*, (se plansch 66, E).

A-B Unge kålroeplanter med skeformede blade efter angreb af kålthripsen.
C Kålthrips *(Thrips angusticeps)*.
D Kållus *(Brevicoryne brassicae)*, vingeløs hun.
E Kålroeblad med angreb af kållus.
F Æg af kållus (stærkt forstørret).

A-B Young swede plants injured by Cabbage thrips.
C The Cabbage thrips *(Thrips angusticeps)*.
D The Cabbage aphid *(Brevicoryne brassicae)*, wingless female.
E Swede leaf discoloured and malformed by Cabbage aphid.
F Eggs of Cabbage aphid (enlarged).

A-B Unga kålrotsplantor med skedformade blad efter angrepp av åkertrips.
C Åkertrips *(Thrips angusticeps)*.
D Kålbladlus *(Brevicoryne brassicae)*, ovingad hona.
E Kålrotblad med angrepp av kålbladlus.
F Ägg av kålbladlus (starkt förstorade).

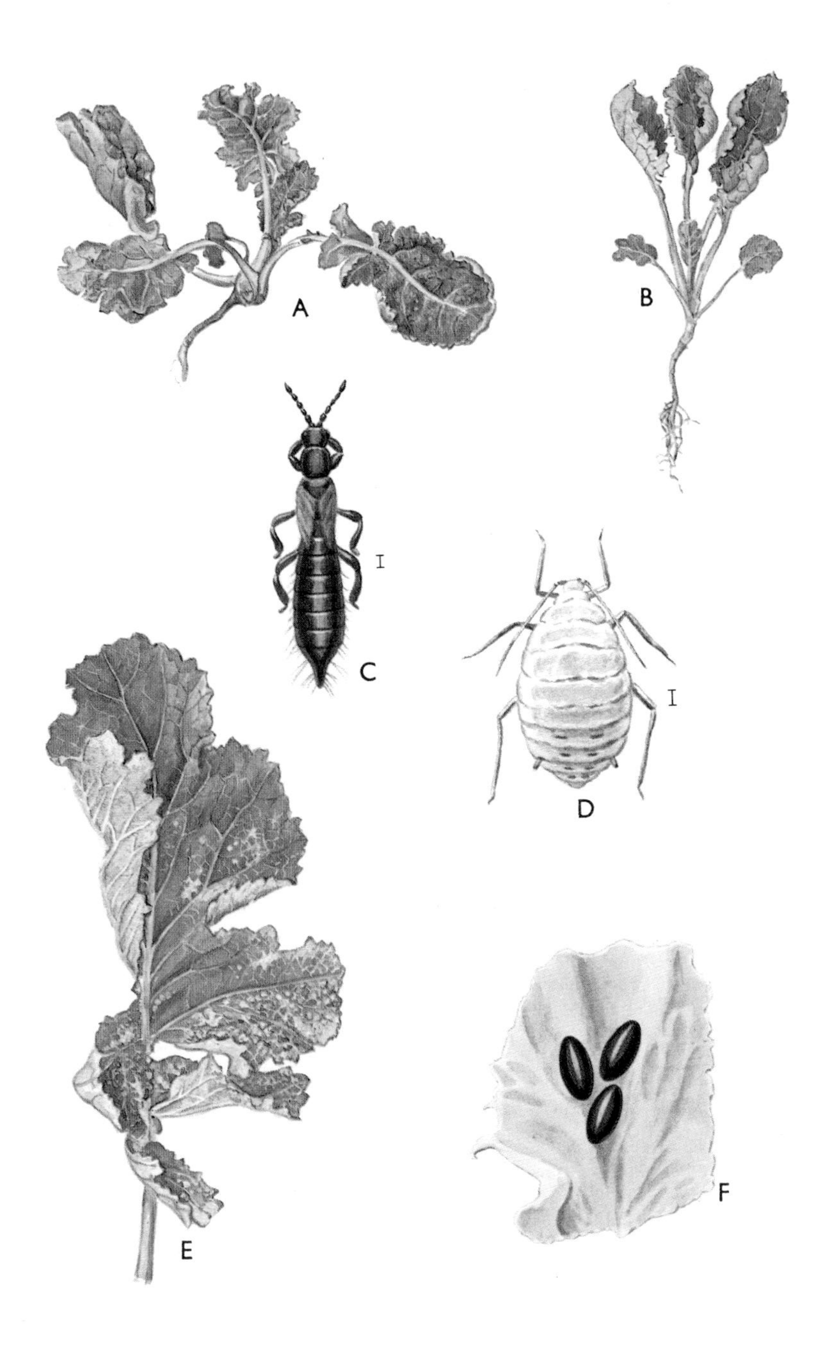
A
B
C
D
E
F

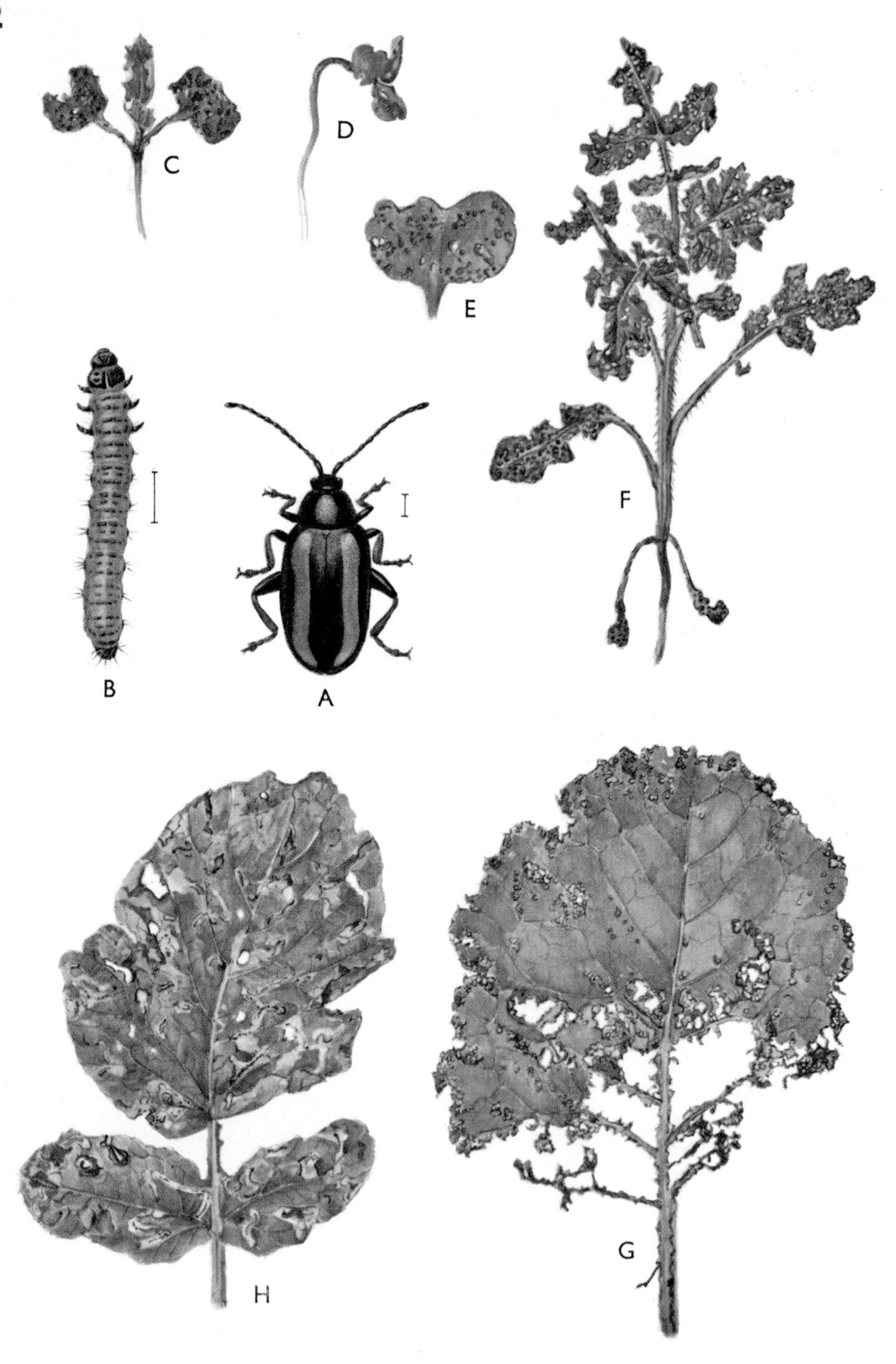
C
D
E
F
B
A
H
G

A Den store gulstribede jordloppe *(Phyllotreta nemorum)*.
B Larven af den store gulstribede jordloppe.
C-D Jordloppegnav på kimplanter af kålroe.
E Jordloppegnav på kimblad af radis.
F Jordloppegnav på gul sennep.
G Jordloppegnav på ældre blad af kålroe.
H Blad af radis med talrige miner frembragt af den store gulstribede jordloppes larver.

A The Turnip Flea beetle *(Phyllotreta nemorum)*.
B Larva of the Turnip Flea beetle.
C-D Flea beetle injury on swede seedlings.
E Radish leaf gnawed by Flea beetles.
F Flea beetle injury on mustard plant.
G Flea beetle attack on older leaf of swede.
H Radish leaf mined by numerous larvae of the Turnip Flea beetle.

A Randiga jordloppan *(Phyllotreta nemorum)*.
B Larv av randiga jordloppan.
C-D Jordloppsgnag på groddplantor av kålrot.
E Jordloppsgnag på hjärtblad av rädisa.
F Jordloppsgnag på vitsenap.
G Jordloppsgnag på äldre blad av kålrot.
H Blad av rädisa med talrika minor gnagda av randiga jordloppans larver.

A Glimmerbøssen *(Meligethes aeneus).*
B Larve af glimmerbøsse.
C Blomsterstand af kålroe med talrige tomme blomsterstilke efter angreb af glimmerbøsser.
D-E Blomster af kålroe med gnav af glimmerbøsser.
F Skulper af kålroe, misdannet efter gnav af glimmerbøsselarver.
G Frøstængel af kålroe, topenden ødelagt efter gnav af glimmerbøsselarver.
H Rapsjordloppen *(Psylliodes chrysocephala).*
I Larve af rapsjordloppen.
K Gnav i kålroefrøplante af rapsjordloppens larver.

A The Blossom beetle *(Meligethes aeneus).*
B Larva of the Blossom beetle.
C Blossom beetle injury on swede seed sprout.
D-E Swede flower buds damaged by Blossom beetles.
F Swede pods injured and deformed by Blossom beetle larvae.
G Tip of swede seed sprout damaged by larvae of the Blossom beetle.
H The Cabbage Stem Flea beetle *(Psylliodes chrysocephala).*
I Larva of the Cabbage Stem Flea beetle.
K Attack of Stem Flea beetle larvae in root and stem of swede seed plant.

A Rapsbagge *(Meligethes aeneus).*
B Larv av rapsbagge.
C Blomställning av kålrot med talrika tomma blomstjälkar efter angrepp av rapsbaggar.
D-E Blommor av kålrot med gnagskador av rapsbaggar.
F Skidor hos kålrot missbildade efter gnag av rapsbagglarver.
G Fröstjälk hos kålrot, vars skottspets förstörts av rapsbagglarver.
H Rapsjordloppa *(Psylliodes chrysocephala).*
I Larv av rapsjordloppa.
K Gnagskador i fröstock av kålrot av rapsjordloppans larver.

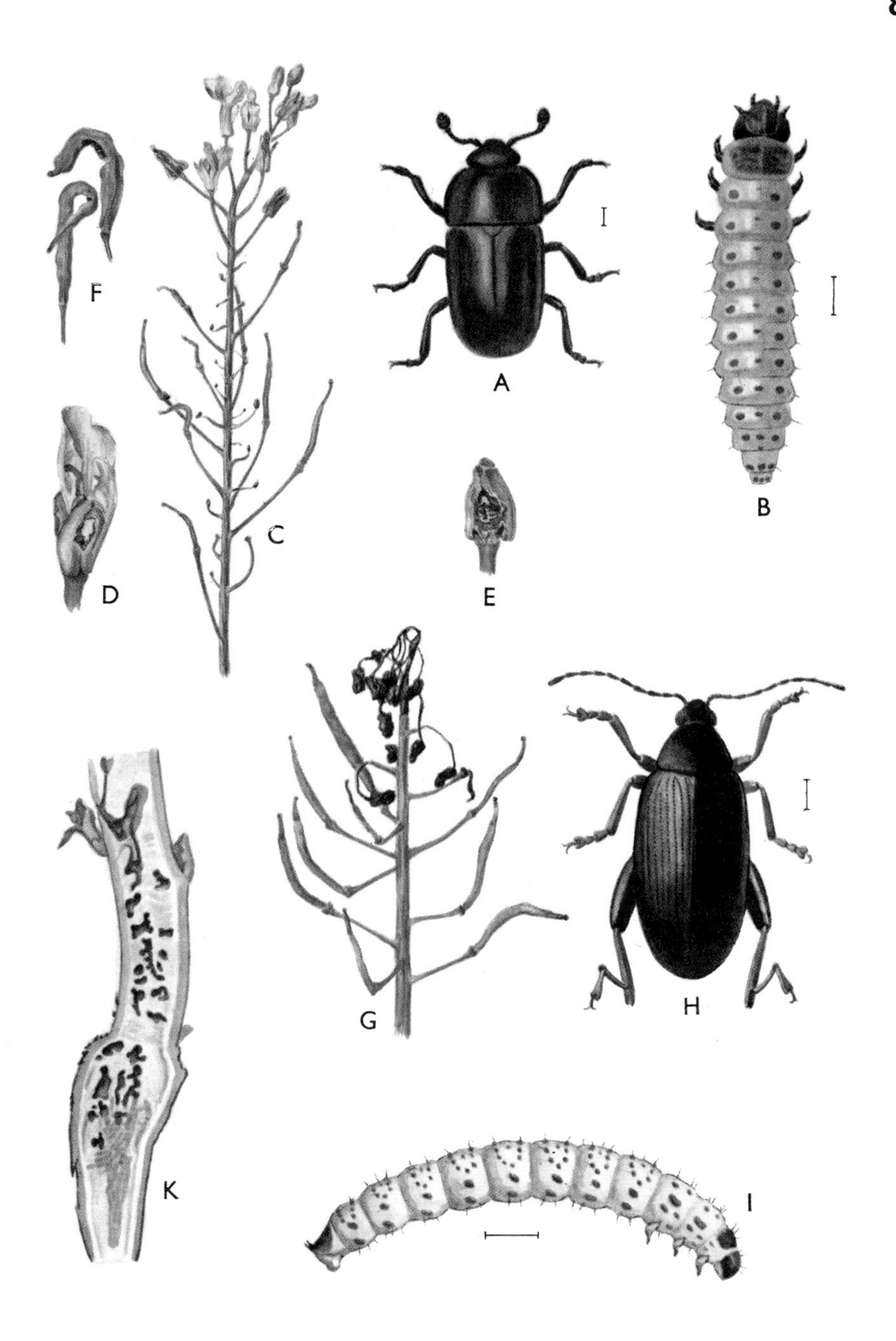
F
C
A
B
D
E
G
H
K
I

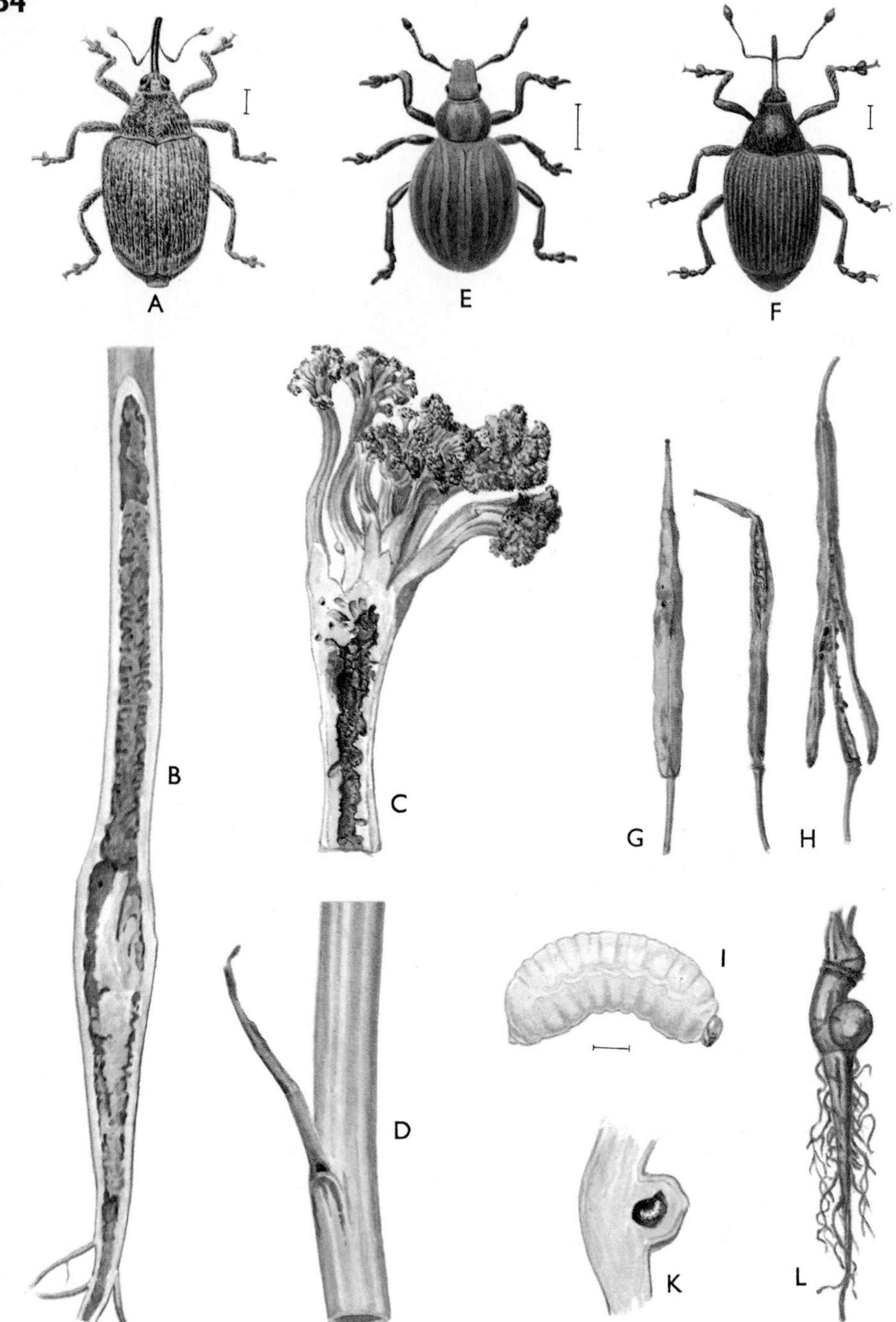
A
E
F
B
C
G
H
I
D
K
L

A Bladribbesnudebille *(Ceutorrhynchus quadridens).*
B-C Minering af bladribbesnudebillens larver i frøstængel af turnips og blomkål.
D Turnips frøstængel med hul under bladfæstet, hvor bladribbesnudebillens larver har boret sig ud.
E Roegnaveren *(Cneorrhinus plagiatus).*
F Skulpesnudebillen *(Ceutorrhynchus assimilis).*
G Skulpe af kålroe angrebet af skulpesnudebillen.
H Skulper af kålroe angrebet af skulpegalmyggens larver *(Dasyneura brassicae.)*
I Larve af kålgallesnudebillen *(Ceutorrhynchus pleurostigma).*
K-L Galledannelse på kålroe, forårsaget af kålgallesnudebillens larve (på K ses larve og larvehule i snit).

A The Cabbage Stem weevil *(Ceutorrhynchus quadridens).*
B-C Stems of turnip (seed plant) and cauliflower hollowed out by Cabbage Stem weevil larvae.
D Seed stalk of turnip, showing below the petiole a hole where the Stem weevil larvae bore out.
E The Sand weevil *(Cneorrhinus plagiatus).*
F The Turnip Seed weevil *(Ceutorrhynchus assimilis).*
G Seed-pod of Swede punctured by the Turnip Seed weevil.
H Two seed pods of swede damaged by larvae of the Turnip Pod midge *(Dasyneura brassicae).*
I Larva of the Cabbage Gall weevil *(Ceutorrhynchus pleurostigma).*
K-L Galls in swede caused by larvae of the Gall weevil, K showing larva enclosed in the gall cavity.

A Fyrtandad rapsvivel *(Ceutorrhynchus quadridens).*
B-C Gångar av fyrtandade rapsvivelns larver i fröstock av rova och blomkål.
D Fröstock av rova med hål under bladfästet, där fyrtandade rapsvivelns larver borrat sig ut.
E Sandviveln *(Cneorrhinus plagiatus).*
F Blygrå rapsviveln *(Ceutorrhynchus assimilis).*
G Skida av kålrot angripen av blygrå rapsviveln.
H Skidor av kålrot angripna av skidgallmyggans larver *(Dasyneura brassicae).*
I Larv av kålgallviveln *(Ceutorrhynchus pleurostigma).*
K-L Gallbildning hos kålrot orsakad av kålgallvivelns larver (K visar genomskuren larvhåla med larv).

A Kålhvepsen *(Athalia spinarum).*
B-C Kålhvepsens larver, et mørkt og et lysere eksemplar.
D-E Blade af gul sennep og kålroe gnavet af kålhvepsens larver.
F-G Bladbillen *Colaphus sophiae* og dens larve.

A The Turnip sawfly *(Athalia spinarum).*
B-C Turnip sawfly larvae.
D-E Leaves of white mustard and swede gnawed by Turnip sawfly larvae.
F-G Imago and larva of the chrysomelid beetle *Colaphus sophiae.*

A Kålbladstekel *(Athalia spinarum).*
B-C Kålbladstekelns larver, ett mörkt och ett ljusare exemplar.
D-E Blad av vitsenap och kålrot gnagda av kålbladstekelns larver.
F-G Bladbaggen *Colaphus sophiae* och dens larv.

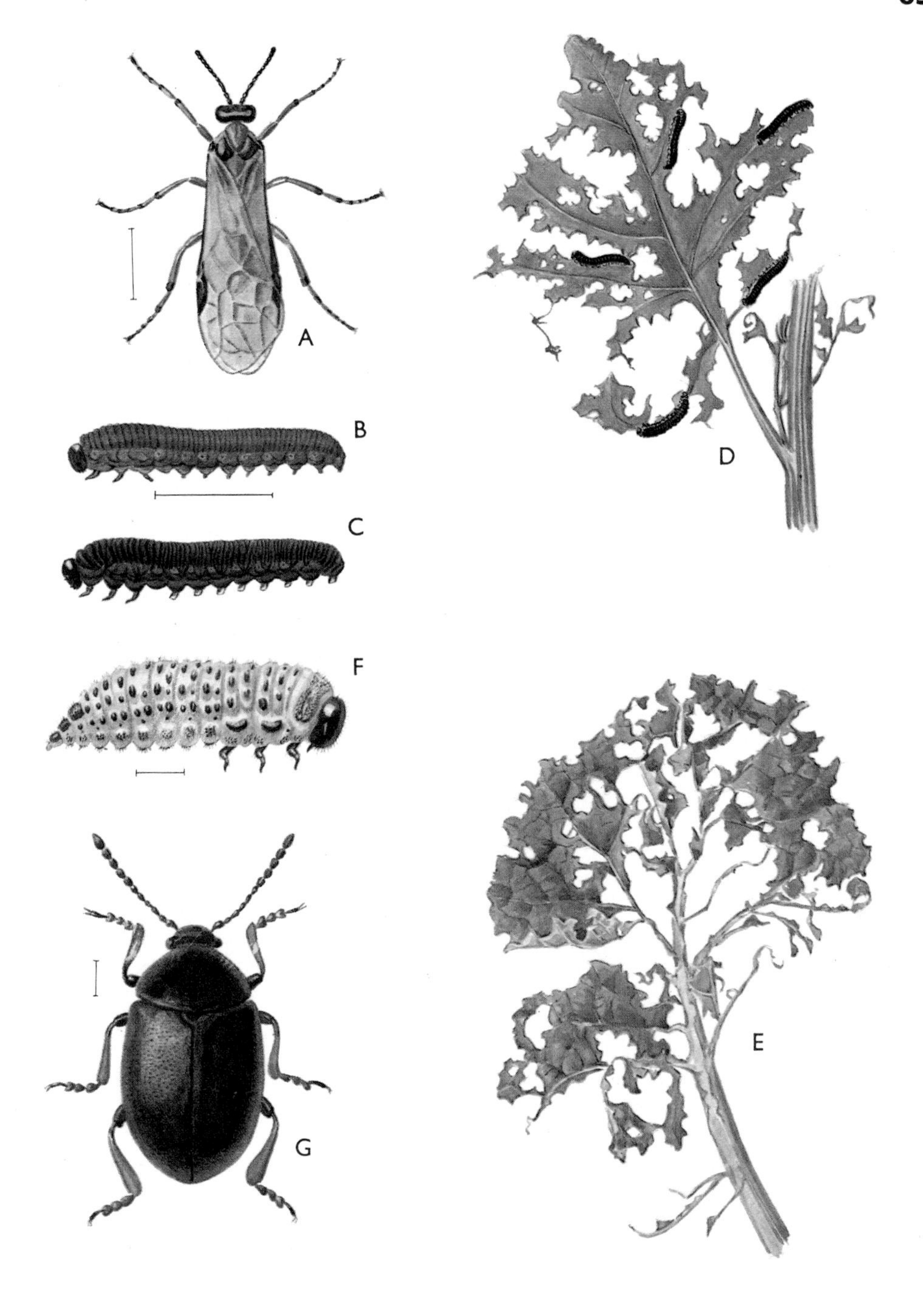
A
B
C
D
F
G
E

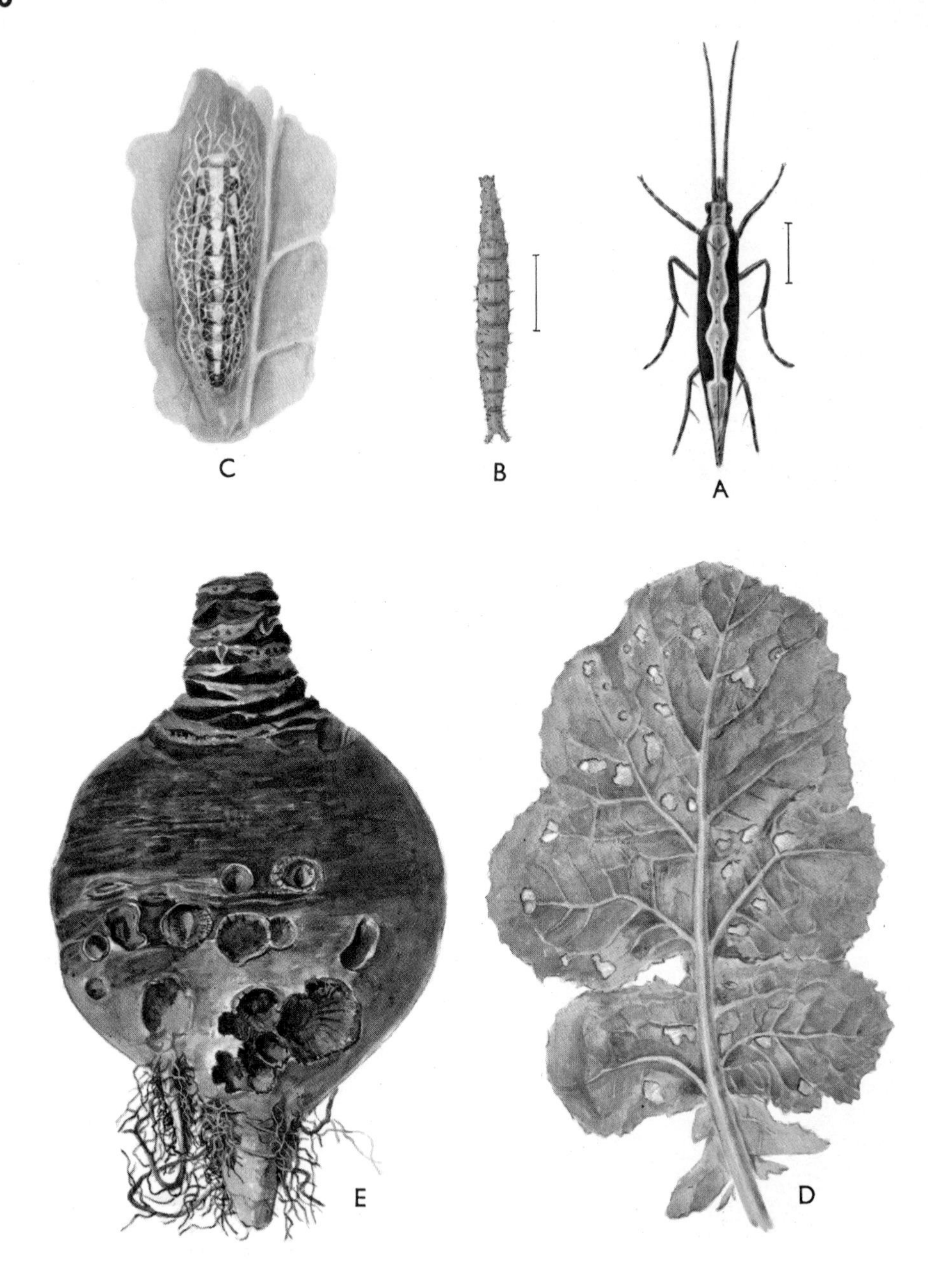
C
B
A
E
D

A Kålmøllet *(Plutella maculipennis).*
B Kålmøllets larve.
C Puppe af kålmøl, dækket af kokon.
D Kålroeblad med gnav af kålmøllarver.
E Kålroe med gnav af knoporme *(Agrotis segetum).*

A The Diamond Back moth *(Plutella maculipennis).*
B Larva of the Diamond Back moth.
C Pupa of the Diamond Back moth (in silken cocoon).
D Swede leaf attacked by larvae of the Diamond Back moth.
E Swede with scars from Cutworm attack *(Agrotis segetum).*

A Kålmal *(Plutella maculipennis).*
B Larv av kålmal.
C Puppa av kålmal, innesluten i sin kokong.
D Kålrotblad med gnag av kålmallarver.
E Kålrot med gnag av sädesbroddflyets larver *(Agrotis segetum).*

A Kålorm, larve af den store kålsommerfugl *(Pieris brassicae).*
B Puppe af den store kålsommerfugl.
C Larve af den lille kålsommerfugl *(Pieris rapae).*
D-E Skulper af kålroe, gnavet af kålorme.
F Dræpt kålorm omgivet af spind og kokoner af snyltehvepse *(Apanteles glomeratus).*
G Kålorme på stærkt begnavet blad dræbt af snyltesvampe.
H Æg af den store kålsommerfugl (forstørret).

A-B Larva and pupa of the Large Cabbage White butterfly *(Pieris brassicae).*
C Larva of the Small Cabbage White butterfly *(Pieris rapae).*
D-E Pods of swede gnawed by larva of the Large Cabbage White butterfly.
F Large Cabbage White butterfly caterpillar killed by larvae of the Hymenopterous parasite *Apanteles glomeratus.*
G Large Cabbage White butterfly caterpillars on a gnawed leaf killed by parasitic fungus.
H Egg-batch of the Large Cabbage White butterfly (enlaged)

A Kålmask, larv av kålfjärilen *(Pieris brassicae).*
B Puppa av kålfjäril.
C Larv av rovfjäril *(Pieris rapae).*
D-E Skidor av kålrot med gnagskador av kålmask.
F Dödad kålfjärillarv omgiven av kokonger av parasitstekeln *Apanteles glomeratus.*
G Kålmaskar på ett starkt skadat blad dödade av en parasitsvamp.
H Ägg av kålfjäril (förstorat).

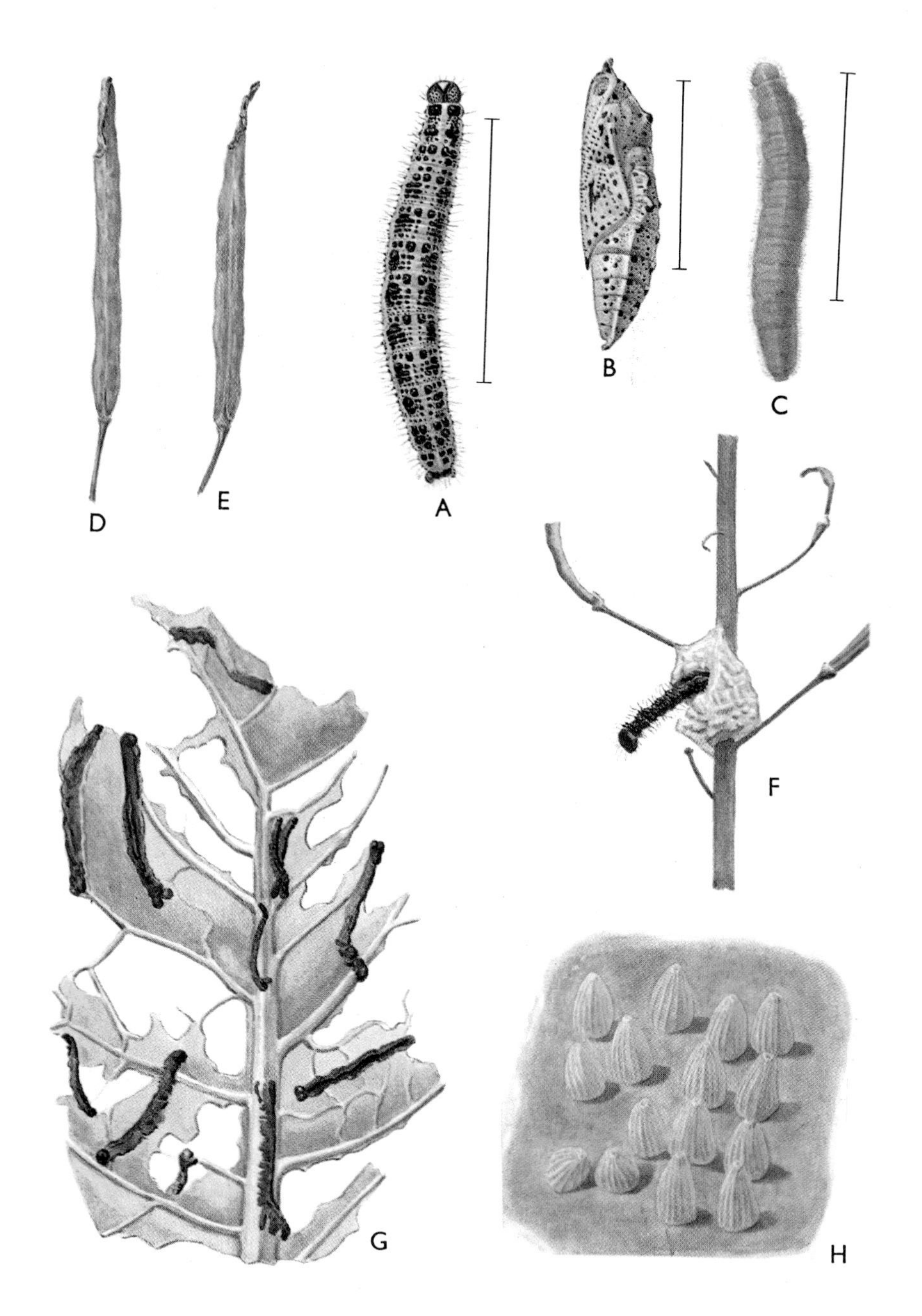
D
E
A
B
C
F
G
H

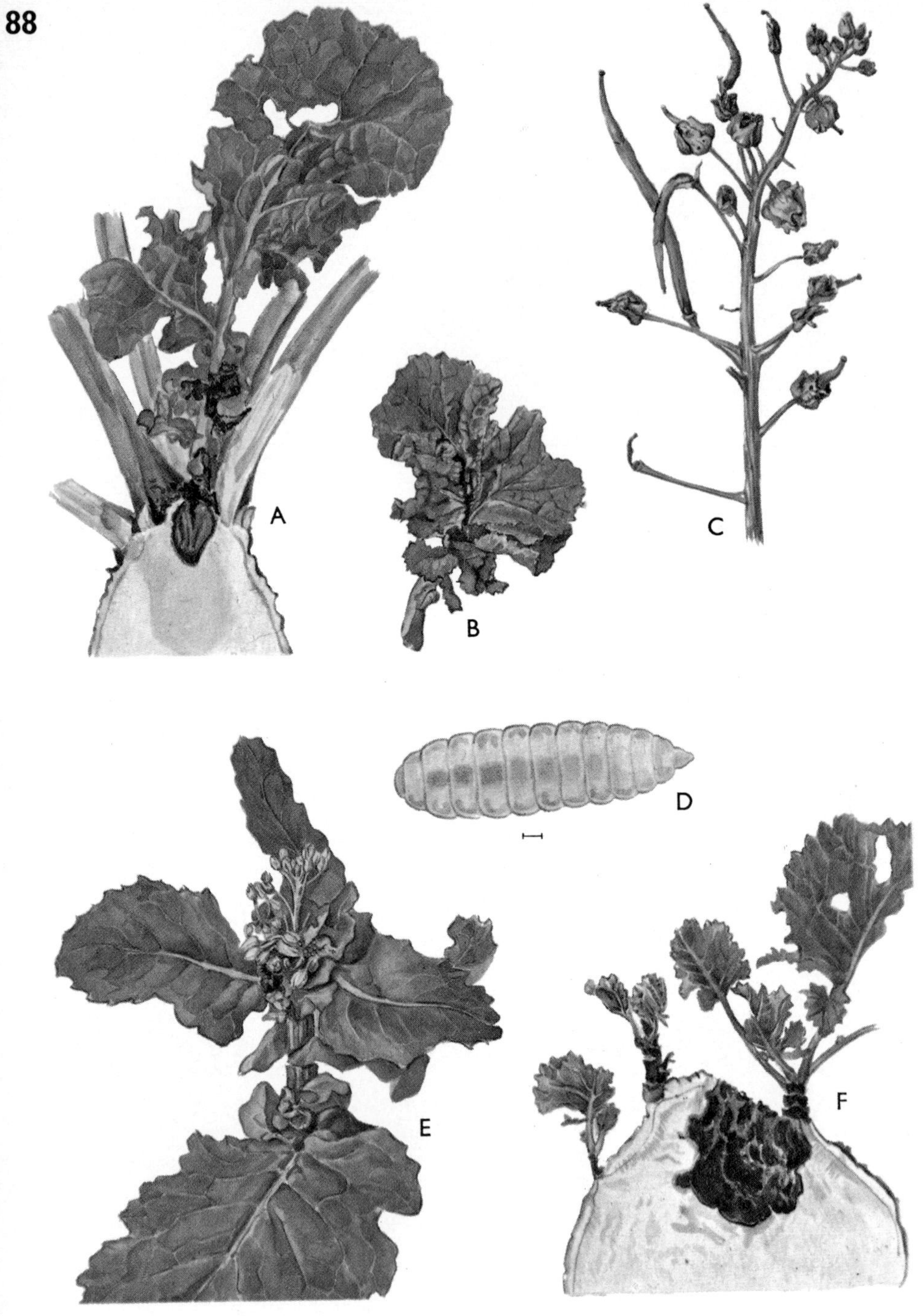
A
B
C
D
E
F

Angreb af krusesygegalmyg ***(Contarinia nasturtii)*** **på kålroe.**

A Kålroe med begyndende hjerteråd.
B Blad med typisk krusesyge og råd på bladstilken.
C Krusesygegalmyggens angreb på frøplante af kålroe med galleformet opsvulmede blomster.
D En galmyglarve.
E Krusesygegalmyggens angreb på frøplante af kålroe med misformet, krusesyg blomsterstand.
F Ældre indtørret hjerteråd og flerhalsethed efter ødelæggelse af hovedskuddet.

Attack by the Swede midge ***(Contarinia nasturtii)*** **on swede.**

A Attack in the growing point followed by heart-rot.
B Leaf of swede with attack.
C Attack by Swede midge larvae on swede seed plant, showing deformation of flowers.
D Gall midge larva.
E Attack by Swede midge larvae on swede seed plant, showing deformation of inflorescence.
F Older attack with dried-up heart-rot and "many-neck" after larvae feeding in the growing point.

Angrepp av kålgallmygga ***(Contarinia nasturtii)*** **på kålrot.**

A Kålrot med begynnade hjärtröta.
B Blad med typisk krussjuka och rötfläck på bladstjälken.
C Visar angrepp av kålgallmygga på fröstickling av kålrot med gallformigt uppsvällda blommor.
D En gallmygglarv.
E Angrepp av kålgalmygga på fröstickling av kålrot med missbildad, krussjuk blomställning.
F Gammal intorkad hjärtröta och utbildning av talrika nyskott sedan huvudskottet förstörts.

A Stankelbenlarve *(Tipula paludosa)*, se også tavle 24.
B Den store kålflue *(Chortophila floralis)*.
C-D Larve og puppe af kålflue.
E-F Angreb af den lille kålflues larver *(Chortophila brassicae)* i kålroer.
G Angreb af den store kålflues larver *(Chortophila floralis)* i kålroer.

A Leatherjacket *(Tipula paludosa)*, compare plate 24.
B The Turnip Root fly *(Chortophila (Erioischia) floralis)*.
C-D Larva and pupa of the Cabbage Root fly *(Chortophila (Erioischia) brassicae)*.
E-F Attack on swedes by the Cabbage Root fly maggots.
G Attack on swede by the Turnip Root fly maggots.

A Harkrank *(Tipula paludosa)*, se även plansch 24.
B Större kålflugan *(Chortophila floralis)*.
C-D Larv och puppa av kålfluga.
E-F Angrepp av mindre kålflugans larver *(Chortophila brassicae)* på kålrötter.
G Angrepp av större kålflugans larver *(Chortophila floralis)* på kålrötter.

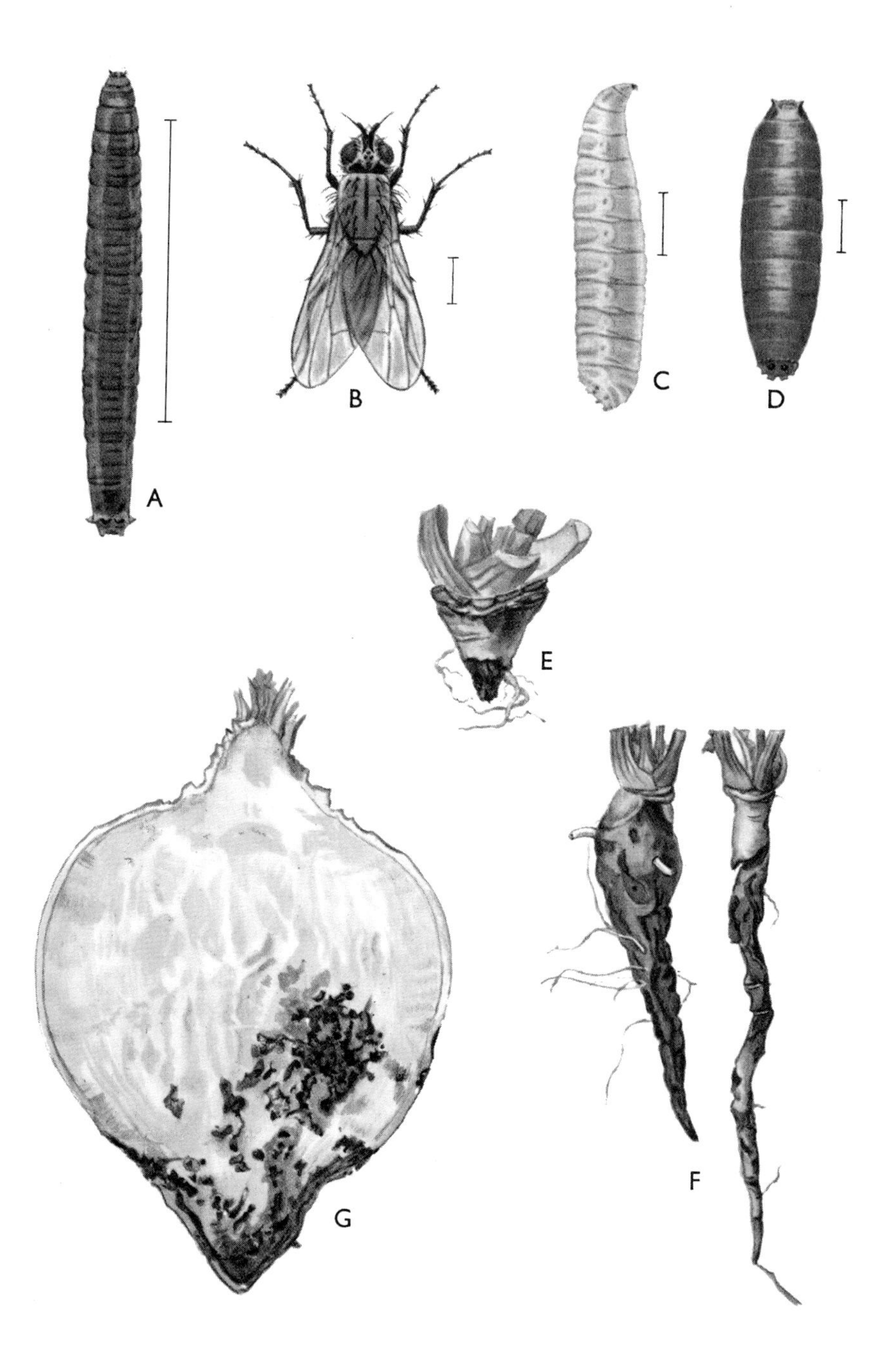
A
B
C
D
E
F
G

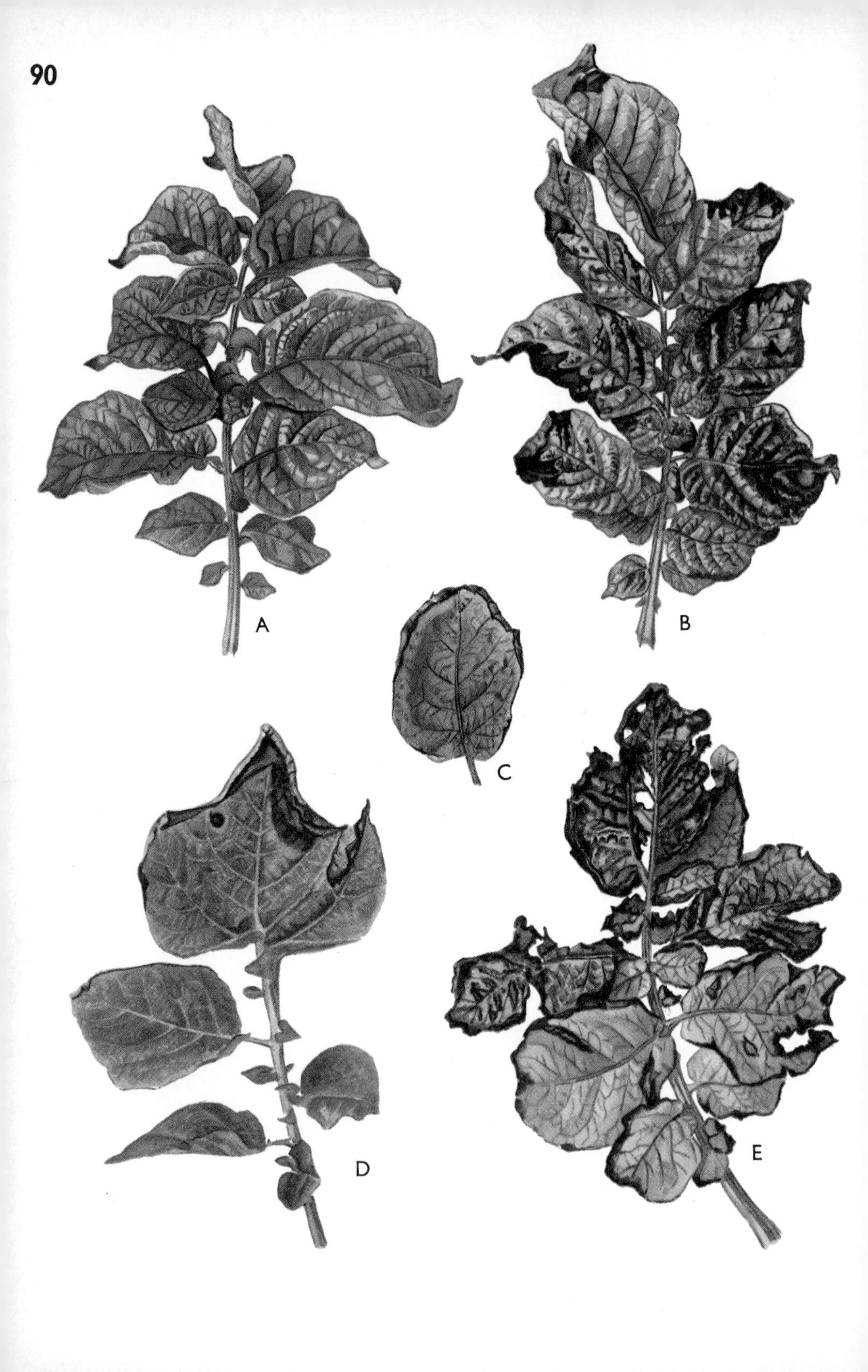
90
A
B
C
D
E

A Kaliummangel på sorten Juli, malet 22. juli.
B Kaliummangel på sorten Juli, malet 2. august.
C Skade som følge af vindslid og sandpiskning.
D Fosforsyremangel (efter W. Krüger & G. Wimmer), se også tavle 91 A.
E Stormskade.

A-B Potassium Deficiency, variety July, on July 22nd and August 2nd respectively.
C Injury from storm and drifting sand.
D Phosphate Deficiency (after W. Krüger & G. Wimmer), compare plate 91 A.
E Injury from storm.

A Kalibrist hos sorten Juli, avbildat 22 juli.
B Kalibrist hos sorten Juli, avbildat 2 augusti.
C Skada av vind och sandflykt.
D Fosfatbrist (efter W. Krüger & G. Wimmer), se även plansch 91 A.
E Stormskada.

A Fosforsyremangel, kartofler på hedejord, der blev pløjet op og merglet i 1939. Parcellen i forgrunden har ikke fået fosforsyregødning, til parcellen i baggrunden blev der i 1940 givet 1000 kg superfosfat pr. ha. Fotograferet juli 1947 (Statens forsøg, Borris Nørrehede). For symptomer, se tavle 90 D.

B Fosforsyremangel, kålroer i samme forsøg som ovenfor, fotograferet juli 1944. Vedrørende symptomer, se tavle 71 B.

A Phosphate Deficiency in potatoes grown on reclaimed Calluna heath, ploughed up and marled in 1939. The plot in the foreground has never received phosphate fertilizer, the plot in the background was given 1000 kg superphosphate per hectare in 1940. Photographed July 1947. For symptoms compare plate 90 D.

B Phosphate Deficiency in swedes, same experiment as above, photographed July 1944. For symptoms compare plate 71 B.

A Fosfatbrist, potatis på hedjord, som blivit plöjd och märglad 1939. Parcellen i förgrunden har ej erhållit fosfatgödsling, till parcellen i bakgrunden gavs 1940 1000 kg superfosfat pr ha. Fotograferat i juli 1947 Betr. symptomen se plansch 90 D.

B Fosfatbrist, kålrötter i samma försök som ovan, fotograferat i juli 1944. Betr. symptomen se plansch 71 B.

A

B

92
A
B
C
D
E

A Manganmangel (lyspletsyge).
B Magnesiummangel. De to småblade viser tidligt og sent stadium.
C Skade af nattefrost.
D Kvælstofmangel.
E Borforgiftning (Borax givet i stedet for salpeter).

A Manganese Deficiency.
B Magnesium Deficiency. The two leaflets show early and late symptoms respectively.
C Leaf injured by late night-frost.
D Nitrogen Deficiency.
E Borax injury (Borax given erroneously instead of nitrate).

A Manganbrist (gråfläcksjuka).
B Magnesiumbrist. De två småbladen visar tidigt och sent stadium.
C Skada av nattfrost.
D Kvävebrist.
E Borförgiftning (Borax givet i stället för salpeter).

A Genvækst på stor knold.
B Genvækst i form af flere knolde på samme udløber.
C »Tommelfingernegle« og større revner af lignende karakter.
D Genvækst på lille knold.
E-F Revner i meget stor knold (efter tørke og påfølgende nedbør).

A Second growth in large tuber.
B Second growth (pearlstring).
C »Thumb-nails« and larger cracks of similar character.
D Second growth in small tuber.
E-F Growth cracks in very large tuber, following drought and subsequent rain.

A Omväxning av stor potatisknöl.
B Omväxning i form av flera knölar på samma utlöpare.
C »Tumnagelmärken« och större sprickor av liknande karaktär.
D Omväxning av liten knöl.
E-F Sprickor i mycket stor knöl (efter torka och påföljande nederbörd).

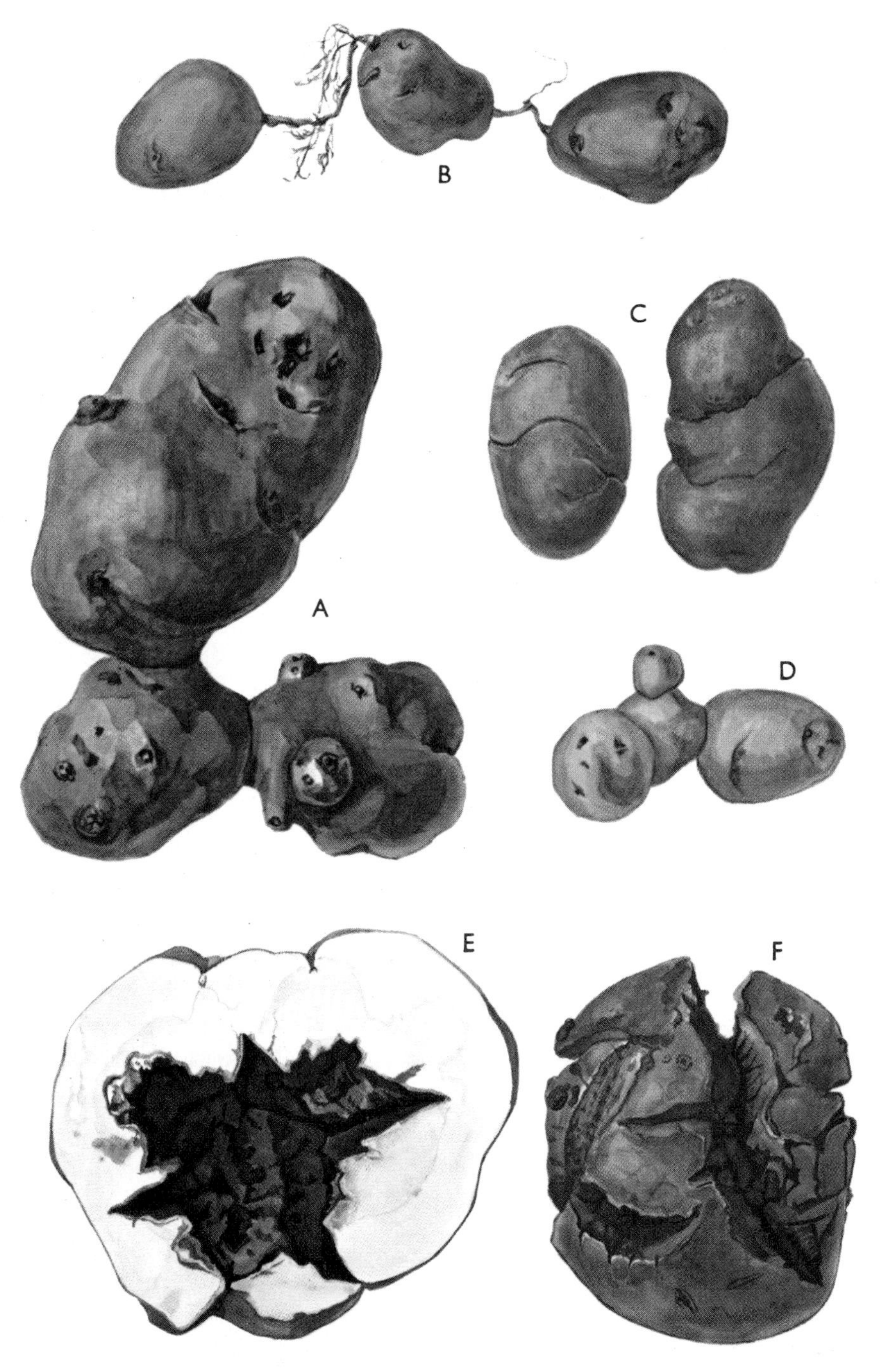
B
C
A
D
E
F

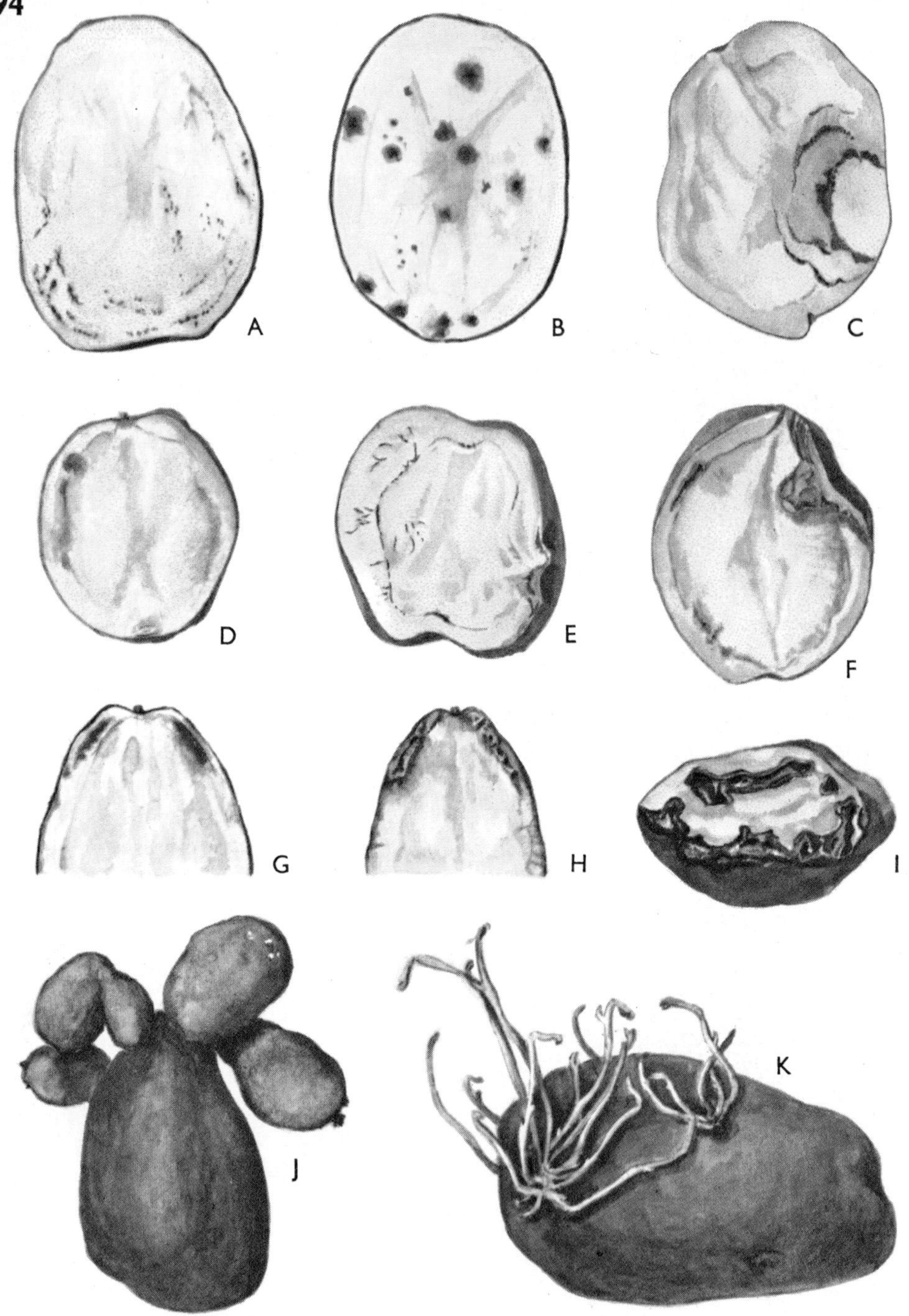
A
B
C
D
E
F
G
H
I
J
K

A Netnekrose (fremkaldt af bladrullesyge, første år).
B Rustpletter (fremkaldt af virus?).
C Rustringe (fremkaldt af virus?).
D-I Frostskade af forskellig styrke og type.
J Ynglesyge efter lægning.
K Trådskud.

A Net Necrosis (first year infection of Leaf Roll).
B Internal Rust Spot (probably due to virus).
C Spraing (probably due to virus).
D-I Frost injury of varying intensity and type.
J Tuber proliferation after planting.
K Spindling sprouts.

A Nätnekros (framkallad av bladrullsjuka, första året).
B Rostfläckar (orsakade av virus?).
C Rostringar (orsakade av virus?).
D-I Frostskador av olika styrka och typ.
J Yngelbildning efter sättningen.
K Trådskott.

A Sundt blad af sorten Bintje.
B Rynkesyge *(virus Y)* på Bintje.
C Rynkesyge *(virus Y)* på King Edward.
D Aucubamosaik *(virus G)* på sorten Juli.

A Normal leaf of variety Bintje.
B Rugose Mosaic *(virus Y)* in Bintje.
C Rugose Mosaic *(virus Y)* in King Edward.
D Aucuba Mosaic *(virus G)* in the variety July.

A Friskt blad av sorten Bintje.
B Rynksjuka *(virus Y)* på Bintje.
C Rynksjuka *(virus Y)* på King Edward.
D Aucubamosaik *(virus G)* på sorten Juli.

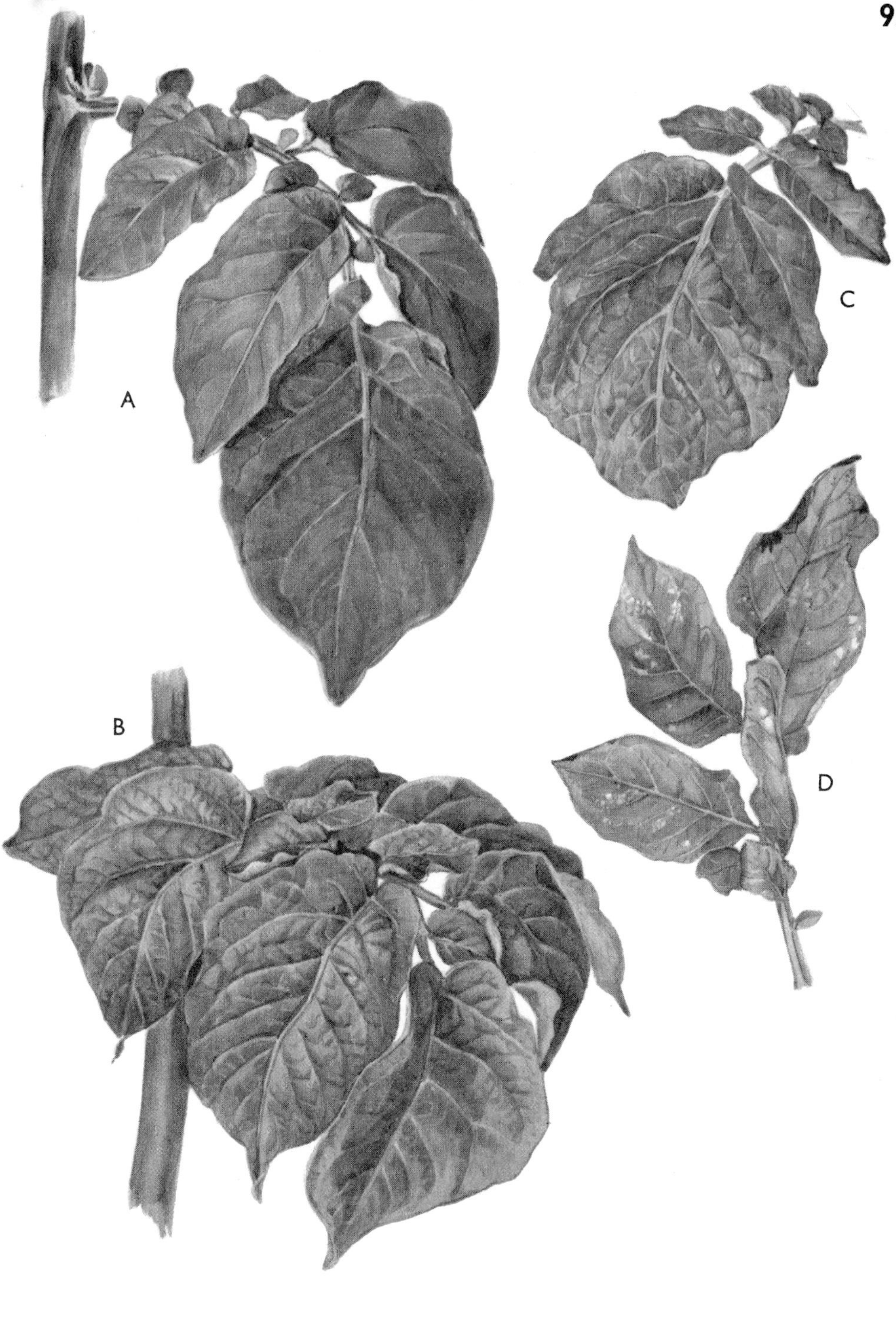

A

C

B

D

A
B
C
D

A Bladrullesyge *(Solanum virus 14)* på Majestic, smittet samme sommer.
B Bladrullesyge på Birgitta, smitte fra tidligere år.
C Bladrullesyge på King Edward.
D Bladrullen på King Edward fremkaldt af tørke og for sen hypning.

A Leaf Roll *(Solanum virus 14)* in Majestic, infected the same summer.
B Leaf Roll in Birgitta, infection from previous years.
C Leaf Roll in King Edward.
D Rolling leaves in King Edward, caused by drought and too late earthing up.

A Bladrullsjuka *(Solanum virus 14)* på Majestic, infektion samma sommar.
B Bladrullsjuka på Birgitta, infektion från tidigare år.
C Bladrullsjuka på King Edward.
D Bladrullning på King Edward framkallad av torka och för sen kupning.

A Krøllemosaik *(virus A +X eller Y)* på Frühgold.
B Sundt blad af Frühgold.
C Simpelmosaik *(virus X)* på Bintje.
D Mosaik og mørk farve *(virus S)* på blad af frøplante.

A Crinkle *(virus A + X or Y)* in the variety Frühgold.
B Healthy leaf of Frühgold.
C Mild Mosaic *(virus X)* in the variety Bintje.
D Mosaic and dark colour *(virus S)* in seed plant.

A Krusmosaik *(virus A + X eller Y)* på Frühgold.
B Friskt blad av Frühgold.
C Mild mosaik *(virus X)* på Bintje.
D Mosaiksjuka och mörkfärgning *(virus S)* på fröplanta.

A
B
C
D

B
A

A Stregsyge *(virus Y)*.
B Stregsyge, undersiden af et stærkt angrebet blad.

A Leaf Drop Streak *(virus Y)*.
B Underside of leaflet with severe streak symptoms.

A Strecksjuka *(virus Y)*.
B Strecksjuka, undersidan av ett starkt angripet blad.

A Sortbensyge *(Erwinia atroseptica)*.
B Knold smittet med sortbensyge gennem udløberen.
C Længdesnit af stængel, hvor sortbensyge har ødelagt marv og bark forneden.

A Black Leg *(Erwinia atroseptica)*.
B Black Leg in young tuber infected from stolon.
C Section of stem in which the pith is rotted away at the base.

A Stjälkbakterios *(Erwinia atroseptica)*.
B Knöl smittad av stjälkbakterios genom utlöparen.
C Längdsnitt av stjälk, vars märg och bark har förstörts vid basen av stjälkbakterios.

A
B
C

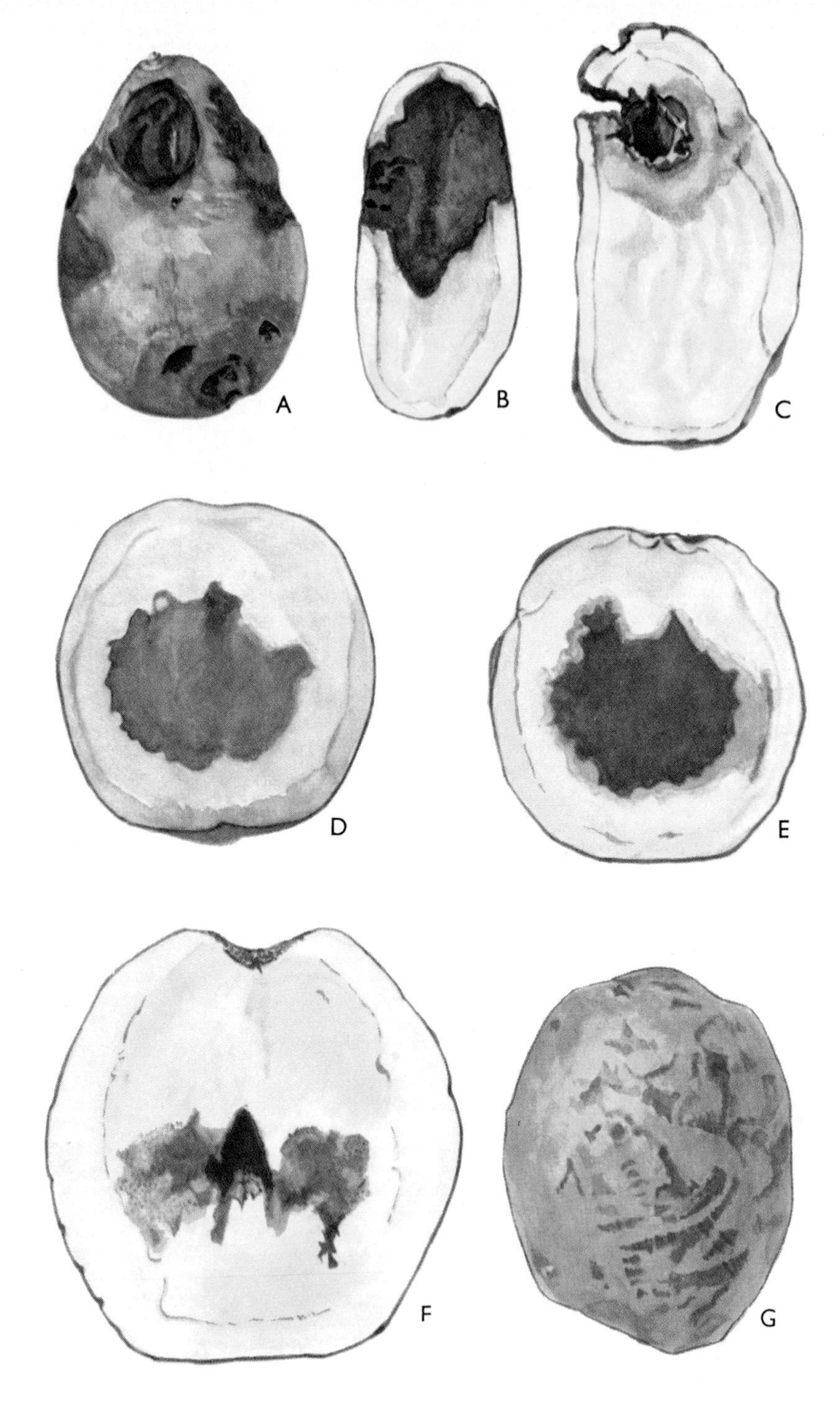
A
B
C
D
E
F
G

A Våd forrådnelse (*Erwinia atroseptica* eller andre bakterier; ofte er varmeskade, kvælning, frost og sår afgørende, og en stærk smørsyregæring slutresultatet).
B Våd forrådnelse vist på snit.
C Forrådnelse breder sig ud fra stiksår.
D-F Varmeskade på sorten Tylstrup Odin.
G Vidunderbakterien (*Bacterium prodigiosum*) på kogt kartoffel (»Hostieblod«).

A-B Bacterial soft rot (*Erwinia atroseptica* or other bacteria; frequently suffocation, heating, frost injury or mechanical injury are the primary causes of the rot which will frequently end as a butyric acid fermentation).
C Rot due to mechanical injury during lifting.
D-F Types of heating injury (variety Tylstrup Odin).
G Colonies of *Bacterium prodigiosum* on cooked and peeled potato.

A Blötröta (*Erwinia atroseptica* eller andra bakterier; ofta är värmeskada, kvävning, frost eller mekaniska skador primärorsak och ledande till en stark smörsyrejäsning).
B Blötröta i tvärsnitt.
C Rötan breder ut sig från sticksår.
D-F Värmeskada på sorten Tylstrup Odin.
G Underverksbakterien (*Bacterium prodigiosum*) på kokt potatis.

A Kartoffelbrok *(Synchytrium endobioticum).*
B Pulverskurv *(Spongospora subterranea)* på kartoffel med genvækst.
C Kartoffelbrok på lavtsiddende blade.

A Wart Disease *(Synchytrium endobioticum).*
B Powdery Scab *(Spongospora subterranea)* on tuber with second growth.
C Wart Disease on basal leaves.

A Potatiskräfta *(Synchytrium endobioticum).*
B Pulverskorv *(Spongospora subterranea)* på potatis med omväxning.
C Potatiskräfta på lågt sittande blad.

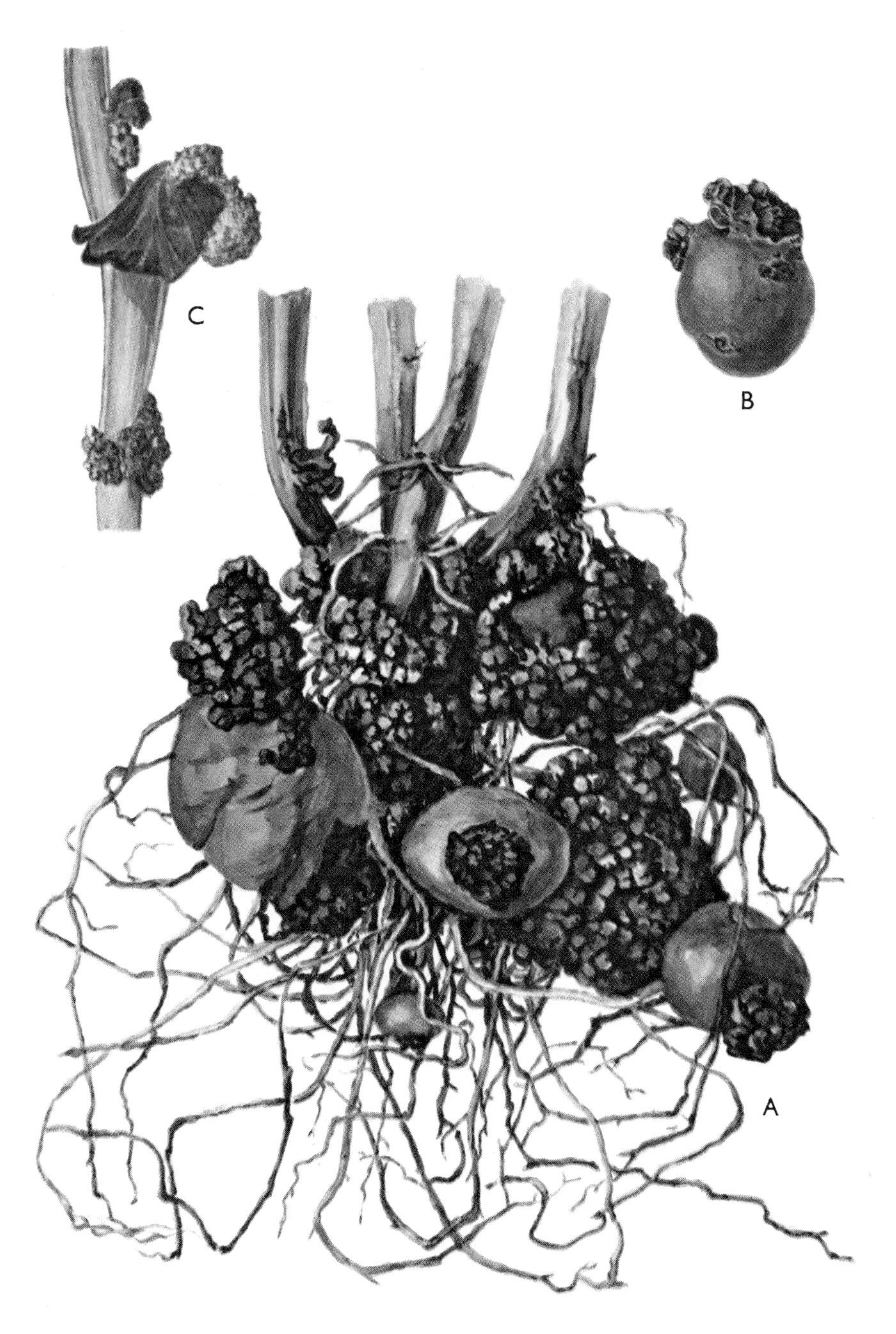
C
B
A

A
B
C
D
E
F
G

A Kartoffelskimmel *(Phytophthora infestans)*, blad set fra oversiden.
B Kartoffelskimmel på bladets underside.
C Kartoffelskimmel på stængel (juli måned).
D-F Pletter fremkaldt af svampen *Cercospora concors*. D tidlige symptomer på bladets overside, F senere. E svampens knopceller på bladets underside.
G Kartoffel-bladpletsyge *(Alternaria solani)*.

A-B Blight *(Phytophthora infestans)* on upper and lower leaf surface respectively.
C Blight on stem (month of July).
D-F Leaf spots caused by *Cercospora concors*. D early symptoms on upper leaf surface; F late symptoms. E conidia on lower surface of leaflet.
G Early Blight *(Alternaria solani)*.

A Bladmögel *(Phytophthora infestans)*, blad sett från översidan.
B Potatisbladmögel på bladets undersida.
C Potatisbladmögel på stjälk (juli månad).
D-F Fläckar framkallade av svampen *Cercospora concors*. D tidiga symptom på bladets översida. F senare stadium. E svampens konidier på bladets undersida.
G Torrfläcksjuka *(Alternaria solani)*.

A Kartoffelskimmel *(Phytophthora infestans)* på knold.
B-C Optagningsskade, under huden knust og misfarvet væv.
D-E Kuleskade, små pletter.
F Kuleskade, store pletter.
G Blå slimskimmel *(Fusarium coeruleum)*.
H-I Rosa slimskimmel *(Fusarium roseum)*.
J Bladpletsyge *(Alternaria solani)* på knold (tørpletsyge).
K Svovlgul slimskimmel *(Fusarium sulphureum)*.

A Late Blight *(Phytophthora infestans)* in tuber.
B-C Mechanical injury during lifting, showing bruises and patches of starch under the skin.
D-E Pit Rot, type with small spots.
F Pit Rot, large spots.
G Dry Rot due to *Fusarium coeruleum*.
H-I Dry Rot due to *Fusarium roseum*.
J Lesions on tuber due to the Early Blight fungus *(Alternaria solani)*.
K Dry Rot due to *Fusarium sulphureum*.

A Brunröta *(Phytophthora infestans)* på potatisknöl.
B-C Upptagningsskada; under skalet är köttet krossat och misfärgat.
D-F Skalfläckar uppkomna under lagring, D och E små, F större fläckar.
G Blåfärgat slemmögel *(Fusarium coeruleum)*.
H-I Rödfärgat slemmögel *(Fusarium roseum)*.
J Torrfläcksjuka *(Alternaria solani)* på potatisknöl.
K Svavelgult slemmögel *(Fusarium sulphureum)*.

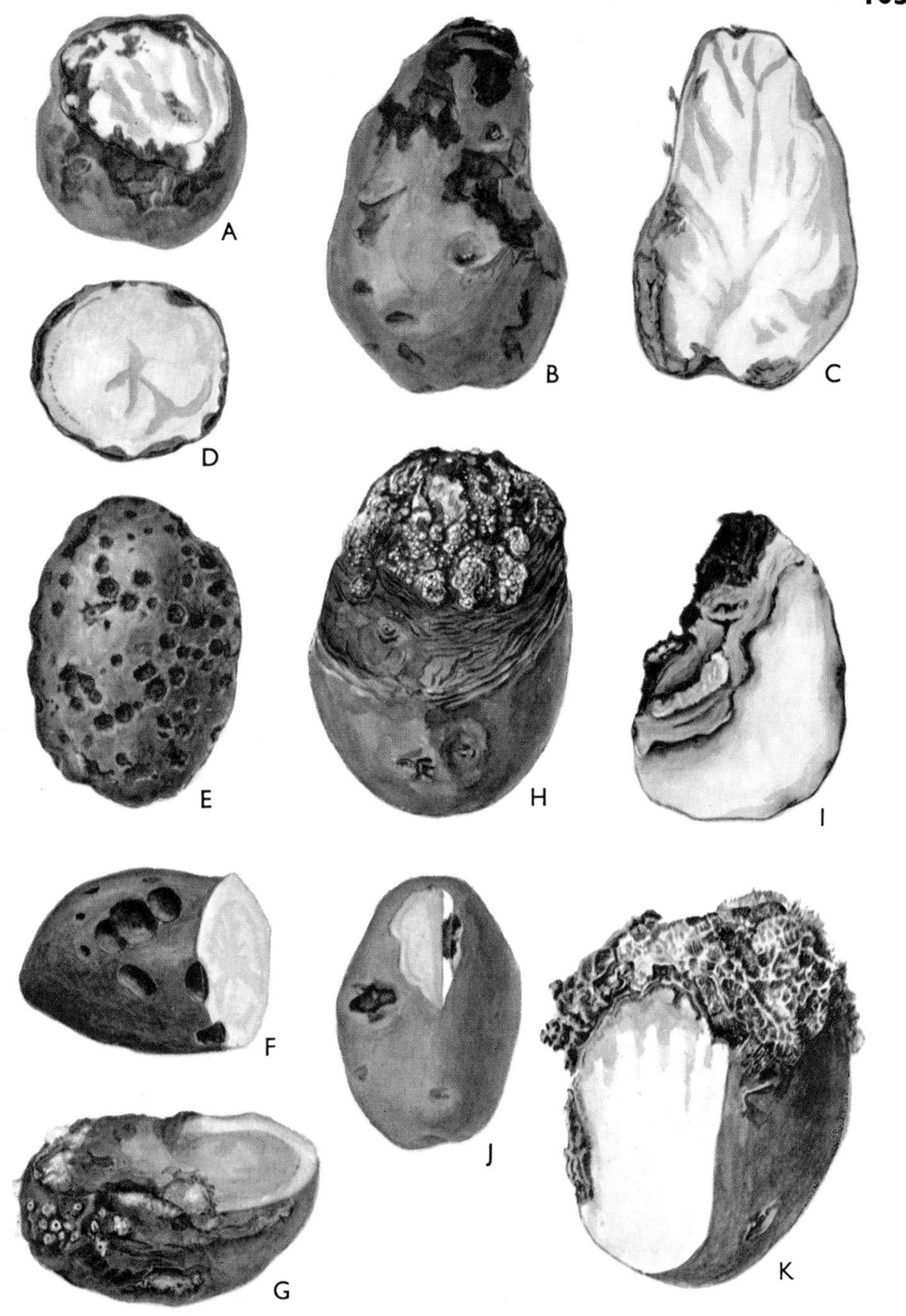
A
B
C
D
E
H
I
F
J
K
G

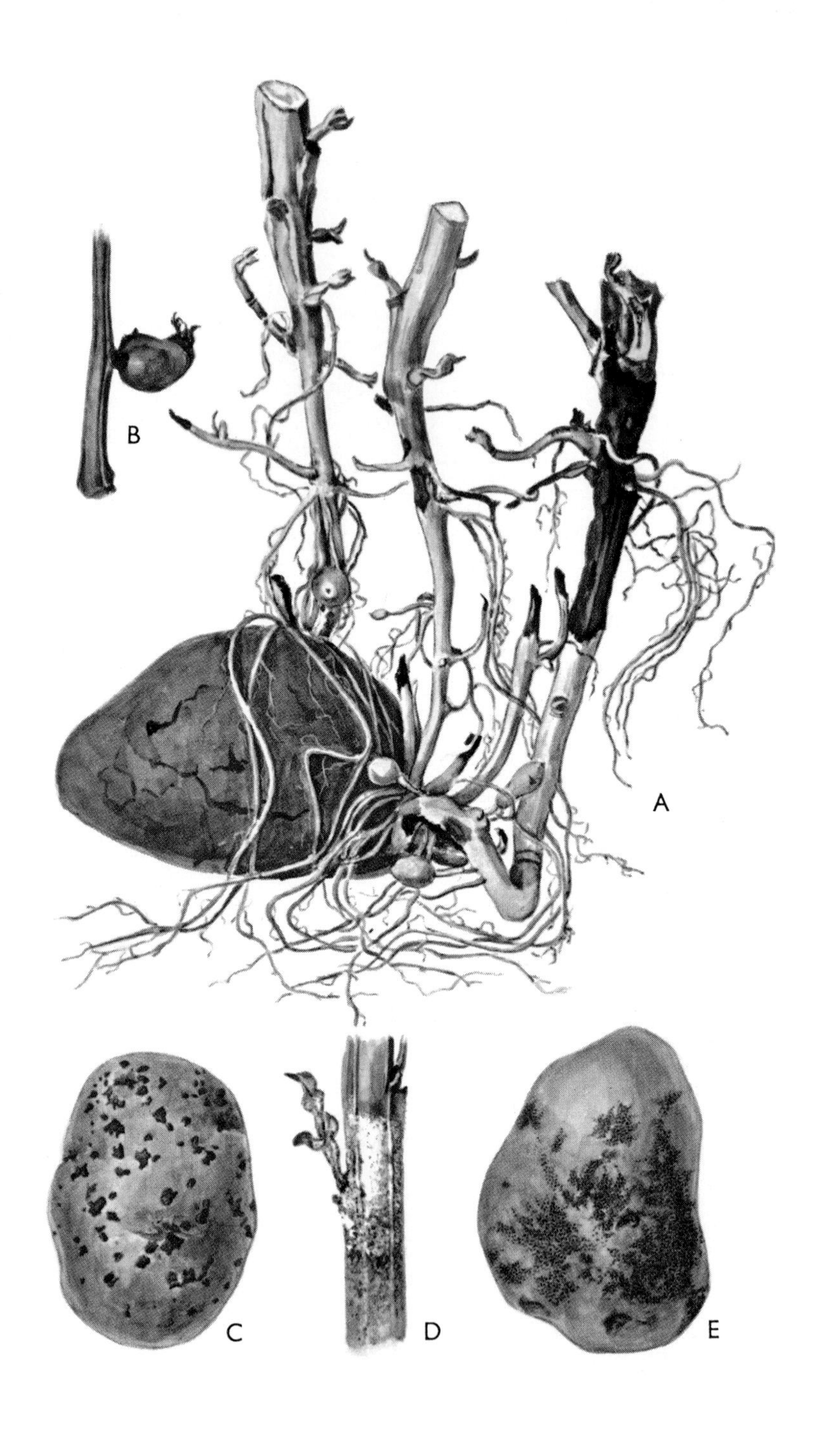
B
A
C
D
E

A Kartoffel-rodfiltsvamp *(Corticium solani)*, angreb på spirer, underjordiske stængler og udløbere.
B Luftkartoffel på angrebet stængel.
C Rodfiltsvampens hvilelegemer.
D Rodfiltsvampens gråben-stadium *(Corticium solani)*.
E Violet rodfiltsvamp *(Helicobasidium purpureum)*, hvilelegemer på kartoffel.

A Attack of *Corticium solani* on potato sprouts, stems and stolons.
B Aerial tuber, sequel to injury on potato stem bases, due to *Corticium*, cutworms etc.
C Black Scurf, the resting stage of *Corticium solani*.
D *Corticium solani*, the basidial stage.
E Violet Root Rot *(Helicobasidium purpureum)*, microsclerotia on potato.

A Gråfiltsjukans svamp *(Corticium solani)*; angrepp på groddar, stjälkar och stoloner.
B Luftknölar på angripen stjälk.
C Lackskorv, sklerotier (vilstadier) av gråfiltsjukans svamp.
D Gråfiltsjuka (basidsporstadiet, *Corticium solani)* på stjälkbasen.
E Sklerotier av rotfiltsjukans svamp *(Helicobasidium purpureum)* på potatisknöl.

A Almindelig kartoffelskurv *(Actinomyces (Streptomyces) scabies)*, svagt angreb.
B Alm. kartoffelskurv, stærkere angreb.
C Pulverskurv *(Spongospora subterranea)*, svulster på kartoffelrod.
D Pulverskurv *(Spongospora subterranea)*.
E Sølvskurv *(Spondylocladium atrovirens)*.
F Vinterblister *(Oospora pustulans)*.
G Vadmelskurv (vækst- og sortsejendommelighed).
H Skorpeskurv (mider, fluelarver o.a. i skurv og sprækker).
I Umoden, laset hud på genvækst.

A-B Common Scab *(Actinomyces (Streptomyces) scabies)*, slight and severe.
C Powdery Scab *(Spongospora subterranea)*, galls on potato root.
D Powdery Scab.
E Silver Scurf *(Spondylocladium atrovirens)*.
F Skin Spot *(Oospora pustulans)*.
G Russeting, due to fluctuating rainfall and varietal effect.
H Incrustations due to combined attack of scab, mites, various maggots, and cracks.
I Feathered skin on second growth (dumb-bell).

A Vanlig skorv *(Actinomyces (Streptomyces) scabies)*, svagt angrepp.
B Vanlig skorv, starkare angrepp.
C Pulverskorv *(Spongospora subterranea)*, svulster på potatisrot.
D Pulverskorv *(Spongospora subterranea)*.
E Silverskorv *(Spondylocladium atrovirens)*.
F Blåsskorv *(Oospora pustulans)*.
G Grovskalighet, sortbetingad eller beroende på varierande nederbördsförhållanden.
H Skorpbildning till följd av angrepp av skorv, kvalster, fluglarver etc.
I Omogen, söndertrasad hud på potatisknöl med omväxning.

A
B
C
D
E
F
G
H
I

B
A
C

A Kartoffelål *(Heterodera rostochiensis)*, angrebet plante med svækket top og stærkt forgrenet rodnet med talrige cyster.

B Rødder med cyster af kartoffelål, de yngre hvide, de ældre gul-brune, (stærkt forstørret).

C Kartoffelknold angrebet af ål (åleskurv, *Ditylenchus destructor)*.

A Potato Root eelworm *(Heterodera rostochiensis)*. Plant with weak haulm and abnormally branched roots with numerous cysts.

B Cysts of Potato Root eelworm, the younger ones white, the older yellow or brown. (much enlarged).

C Potato attacked by the Potato Tuber eelworm *(Ditylenchus destructor)*.

A Potatisål *(Heterodera rostochiensis)*, angripen planta med svag växt och starkt förgrenat rotsystem med talrika cystor.

B Rötter med cystor av potatisål, de yngre vita, de äldre gula-bruna. (starkt förstorat).

C Potatisknöl angripen av ål *(Ditylenchus destructor)*.

A Coloradobiller *(Leptinotarsa decemlineata)* og deres larver på kartoffeltop.
B Coloradobille.
C Coloradobillens larve. (Gengivet med tilladelse af Statens Plantetilsyn. Originalen malet af fru Bodil Strubberg).

A Colorado beetles *(Leptinotarsa decemlineata)* and larvae on potato haulm.
B Colorado beetle.
C Colorado beetle larva.

A Koloradoskalbagge *(Leptinotarsa decemlineata)* med larver på potatisskott.
B Koloradoskalbagge.
C Koloradoskalbaggens larv.

A
B
C

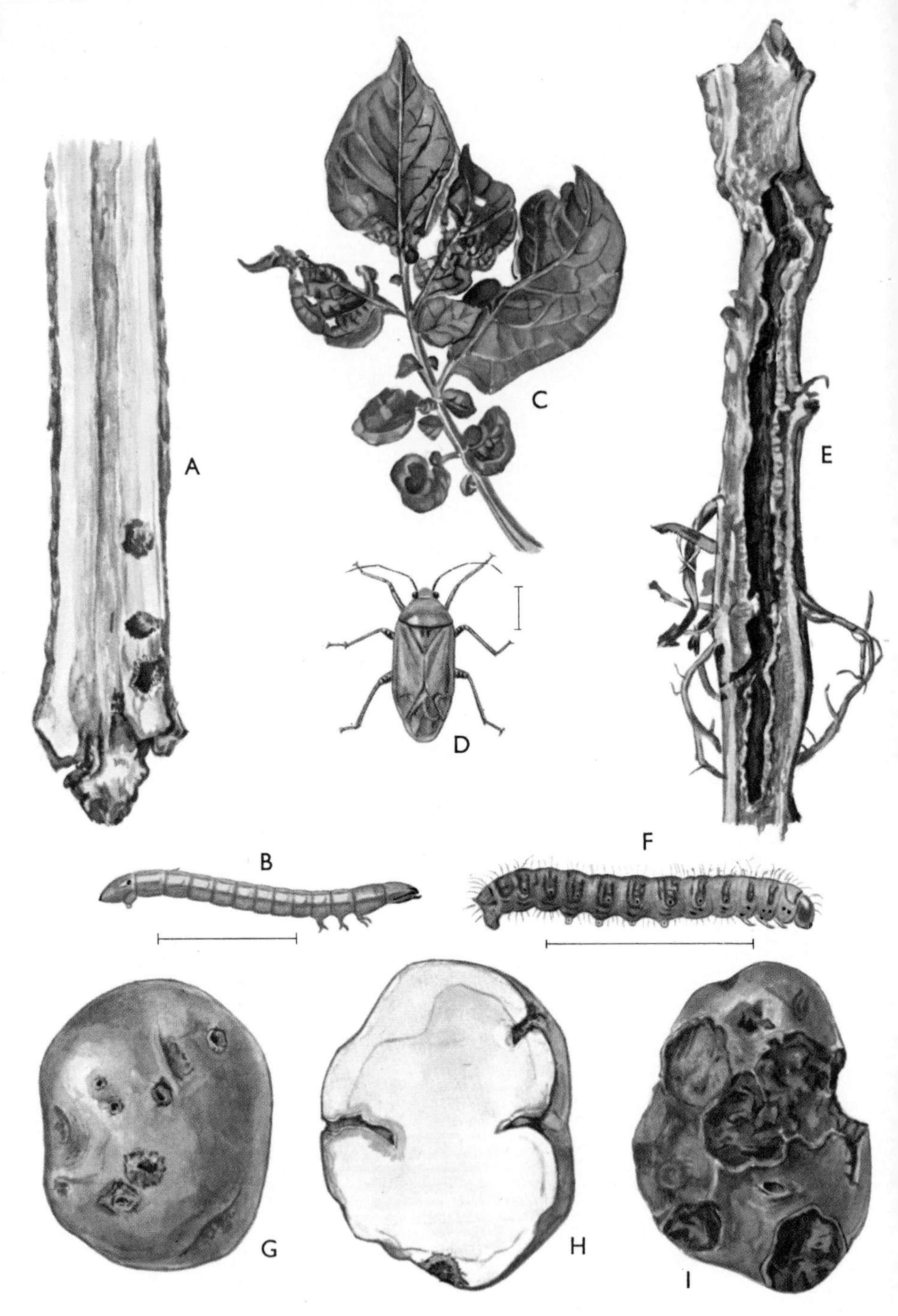
A
B
C
D
E
F
G
H
I

A Kartoffelstængel angrebet af smelderlarver.
B Smelderlarve *(Agriotes sp.)*.
C Kartoffelblad angrebet af havetæger.
D Havetæge *(Lygus pabulinus)*.
E Kartoffelstængel angrebet af kartoffelborer.
F Kartoffelborer *(Hydroecia micacea)*.
G Kartoffel angrebet af smelderlarver; korkskæl om borehullerne.
H Kartoffél angrebet af smelderlarver, det nederste sår tillige af rodfiltsvamp.
I Kartoffel gnavet af oldenborrelarver *(Melolontha melolontha)*.

A Potato stem attacked by wireworms *(Agriotes spp.)*.
B Wireworm *(Agriotes sp.)*.
C Potato leaf injured by Common Green capsid *(Lygus pabulinus)*.
D Common Green capsid *(Lygus pabulinus)*.
E Potato stem attacked by the larva of the Rosy Rustic moth *(Hydroecia micacea)*.
F Larva of the Rosy Rustic moth *(Hydroecia micacea)*.
G Potato damaged by wireworms, corky scales around the holes.
H Potato damaged by wireworms; the lower lesion invaded by *Corticium solani*.
I Tuber gnawed by larvae of Cockchafers *(Melolontha melolontha)*.

A Av knäpparlarver skadad potatisstjälk.
B Knäpparlarv *(Agriotes sp.)*.
C Av trädgårdsstinkfly skadat potatisblad.
D Trädgårdsstinkfly *(Lygus pabulinus)*.
E Av potatisstamfly angripen potatisstjälk.
F Larv av potatisstamfly *(Hydroecia micacea)*.
G Av knäpparlarver skadad potatisknöl; omkring hålens mynningar ärrbildningar med korkfjäll.
H Potatisknöl skadad av knäpparlarver; såret längst ned har infekterats av filtsjuka.
I Potatisknöl med gnag av ollenborrlarver *(Melolontha melolontha)*.

A Hvileknolde og frugtlegemer af storknoldet bægersvamp *(Sclerotinia sclerotiorum)*.
B Gulerod ødelagt af storknoldet bægersvamp under lagringen.
C Gulerod fra vinterkule med angreb af sortråd *(Stemphylium radicinum)* o.a. svampe.
D-E Frostskade med tydelige frostspalter.
F Tusindben *(Blaniulus guttulatus)*.
G Gulerod gnavet af tusindben.
H Violet rodfiltsvamp *(Helicobasidium purpureum)*.

A *Sclerotinia sclerotiorum, sclerotia* and fruiting bodies *(apothecia)*.
B *Sclerotinia sclerotiorum* on carrot in storage.
C Black Rot *(Stemphylium radicinum)* and other fungi on carrot from pit.
D-E Frost injury with distinct cracks.
F Millipede *(Blaniulus guttulatus)*.
G Millipede injury.
H Violet Root Rot *(Helicobasidium purpureum)* on carrot.

A Vilstadier *(sklerotier)* och fruktkroppar *(apothecier)* av bomullsmögel *(Sclerotinia sclerotiorum)*.
B Morot förstörd av bomullsmögel under lagringen.
C Morot från stuka med angrepp av svartröta *(Stemphylium radicinum)* m.fl. svampar.
D-E Frostskada med tydliga frostsprickor.
F Tusenfoting *(Blaniulus guttulatus)*.
G Morot med gnagskador av tusenfoting.
H Rotfiltsvamp *(Helicobasidium purpureum)*

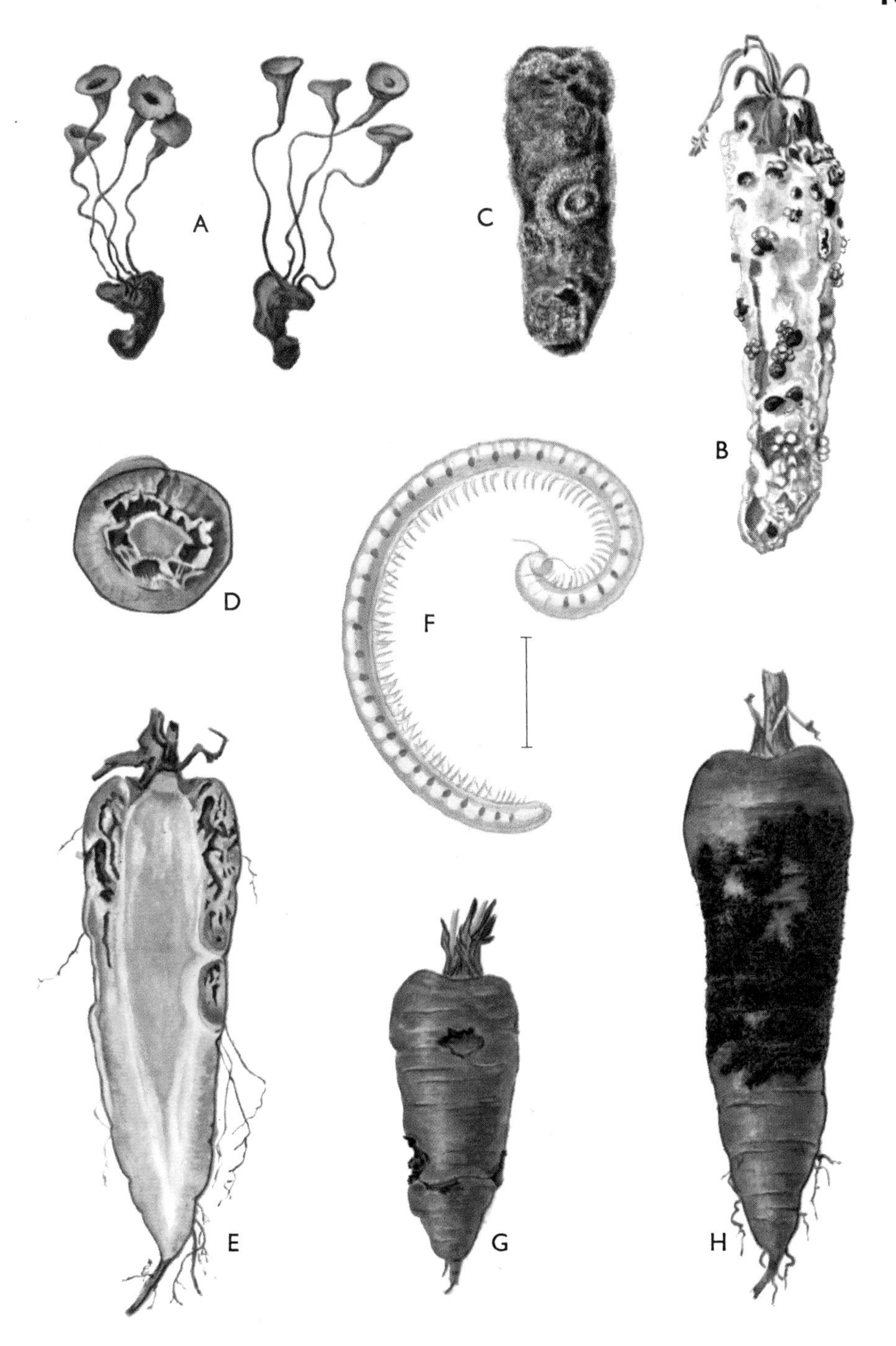
A
C
B
D
F
E
G
H

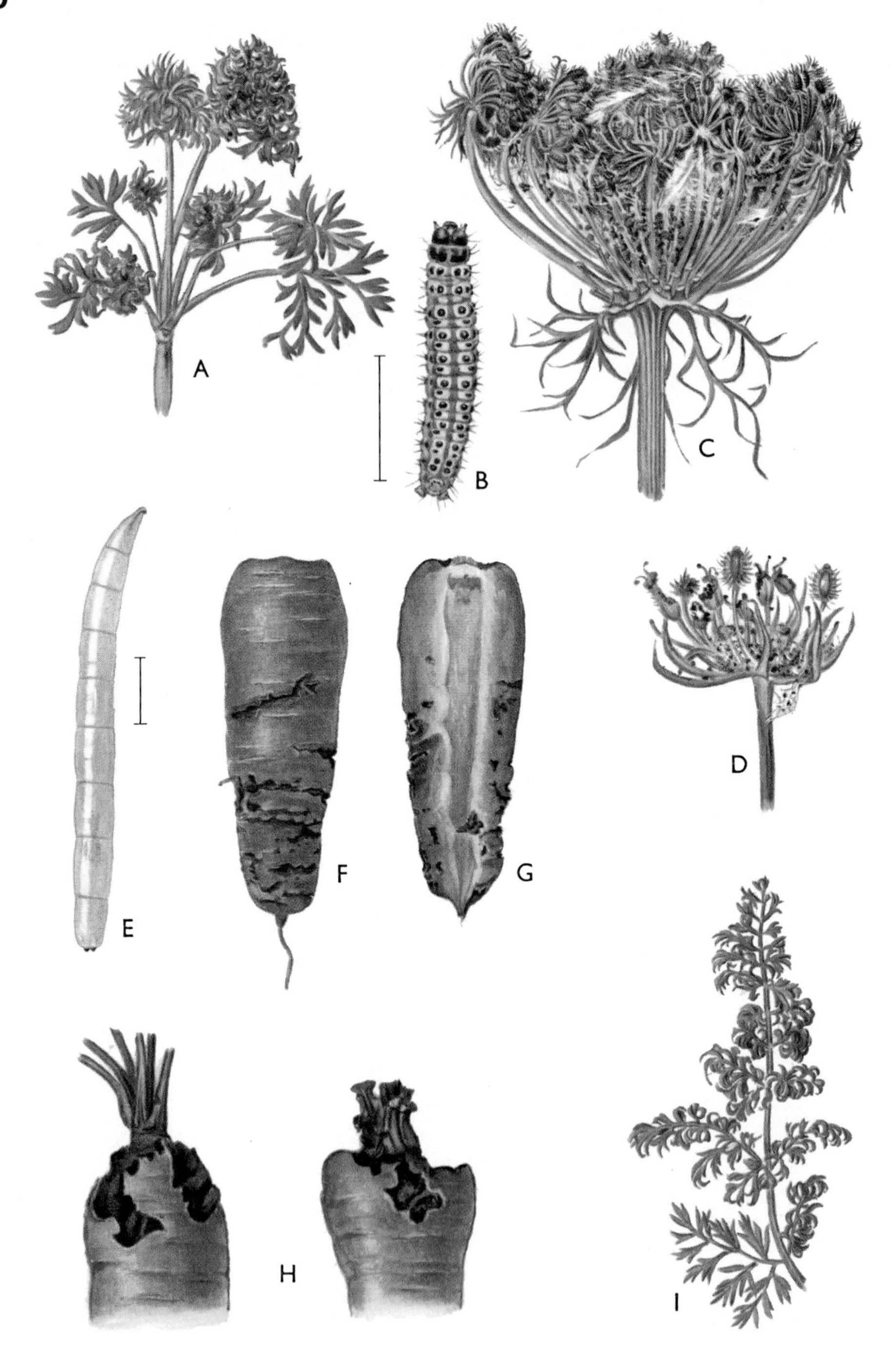
A
B
C
D
E
F
G
H
I

A Gulerods-krusesyge *(Trioza apicalis).*
B Larve af skærmplantemøl *(Depressaria sp.).*
C-D Skærme af gulerod med gnav og spind af skærmplantemøllets larver.
E Larve af gulerodsfluen *(Psila rosae).*
F-G Gnav af gulerodsfluens larver.
H Gnav af knoporm *(Agrotis sp.).*
I Gulerodsblad med krusning fremkaldt af bladlus.

A Carrot top with attack of *Trioza apicalis.*
B Larva of Seed Moth *(Depressaria sp.).*
C-D Umbels of carrot with injury and web from Seed Moths.
E Larva of Carrot Fly *(Psila rosae).*
F-G Carrots injured by Carrot Fly larvae.
H Injury from Cutworms *(Agrotis sp.).*
I Carrot leaf attacked by aphids.

A Krussjuka hos morot orsakad av angrepp av morotbladloppa *(Trioza apicalis).*
B Mallarv tillhörande släktet *Depressaria.*
C-D Blomställning av morot med gnagskador och spånader av *Depressaria*-larver.
E Larv av morotfluga *(Psila rosae).*
F-G Skador av morotflugans larver.
H Gnagskada av jordflylarv *(Agrotis sp.).*
I Morotblad med krusighet av bladlöss.

A Manganmangel hos hør.
B-C Visnesyge på hør *(Colletotrichum lini)*.
D-F Stængelpletsyge på hør *(Polyspora lini)*.

A Manganese Deficiency in flax.
B-C Flax Seedling Blight *(Colletotrichum lini (linicola))*.
D-F Browning and Stem-Break *(Polyspora lini)*.

A Manganbrist hos lin.
B-C Vissnesjuka hos lin *(Colletotrichum lini)*.
D-F Stråknäckare hos lin *(Polyspora lini)*.

A
B
C
D
E
F

112

A Hørrust *(Melampsora lini)*, sommersporer.
B Hørrust, vintersporer.
C Hørrens stængelprik *(Septoria linicola)*, knopcellehuse på stængelpletter.
D Hørrens stængelprik, bladpletter.

A-B Flax Rust *(Melampsora lini)* summer spores and winter spores, respectively.
C-D Pasmo *(Septoria linicola)*, pycnidia and leafspots, respectively.

A Linrost *(Melampsora lini)*, sommarsporer.
B Linrost, vintersporer.
C Pasmosjuka *(Septoria linicola)*, stjälkfläckar med pyknider.
D Pasmosjuka, bladfläckar.

SAGREGISTER

INDEX NOMENCLATURAE LATINAE

INDEX

SAKREGISTER